Grammatik sehen

Arbeitsbuch für Deutsch als Fremdsprache

Michaela Brinitzer
Verena Damm

Max Hueber Verlag

E	4.	3.	2.	Die letzten Ziffern
2005	04	03	02	01	bezeichnen Zahl und Jahr des Druckes.

Alle Drucke dieser Auflage können, da unverändert,
nebeneinander benutzt werden.
1. Auflage
© 1999 Max Hueber Verlag, D-85737 Ismaning
Redaktion: Andreas Tomaszewski, Ismaning
Umschlaggestaltung: Marlene Kern, München
Zeichnungen: Michaela Brinitzer
Layout: Kerstin Graf, München
Gesamtherstellung: Ludwig Auer GmbH, Donauwörth
Printed in Germany
ISBN 3–19–001604–6

Inhalt

Vorwort für Lehrerinnen und Lehrer

Das Buch, das Sie in den Händen halten, ist aus der unterrichtspraktischen Arbeit mit einer zahlenmäßig großen, wenn auch bislang weitgehend vernachlässigten Zielgruppe entstanden, aus der Arbeit mit Sprechern eines im so genannten „ungesteuerten Zweitsprachenerwerbs" erworbenen Deutsch. Seien es Arbeiter oder Angestellte, die bislang mit „gebrochenem" Deutsch zurechtkamen, seien es Ehepartner von Deutschen, die noch nicht die Zeit zum Besuch eines Kurses fanden, oder Jugendliche, die zwischen Herkunftssprache und Deutscherwerb auf der Strecke blieben, – die Umstrukturierung des Arbeitsmarktes, der Trend zum Abbau niedrig qualifizierter Arbeit bringt viele von ihnen in Deutschkurse und/oder Qualifizierungsmaßnahmen. Meist verfügen diese Teilnehmerinnen und Teilnehmer über einen recht großen Umgangswortschatz und über im Alltag durchaus erfolgreiche Kommunikationsstrategien; doch grammatische Strukturen, auch die ihrer Herkunftssprache, sind ihnen weitgehend unbekannt.

In den bisher üblichen Kursformaten sind solche Lerner nicht gut aufgehoben und auch die herkömmlichen Übungsgrammatiken beginnen am falschen Punkt – sie setzen ein Wissen um Wortartenunterscheidung und Satzstrukturen bereits voraus. Aus diesen Gründen verläuft ein Kursbesuch für den genannten Teilnehmerkreis eher erfolglos und ist mit Frustrationen verbunden. Es gelingt nicht, die Beschränkung der erworbenen Kenntnisse zu durchbrechen.

Das vorliegende Lehrwerk hat eine Brückenfunktion zwischen semantisch-kommunikativen und grammatischen Kenntnissen. Es ist kurstragend konzipiert und vermittelt in ca. 80–100 Unterrichtsstunden das für Selbstkorrektur und/oder weiteren Kursbesuch erforderliche Wissen.

Grundlagen

Das Konzept des Lehrwerks vereint drei Grundideen: Stephen Krashens Monitor-Theorie[1], suggestopädische Elemente wie lerntypengerechte Vorgehensweisen und Gedächtnisstützen[2] und das Verb-Aktantenmodell von Harald Weinrich[3].

Laut Krashen ist der Sprachmonitor diejenige Bewusstseinsinstanz, die die Sprachproduktion plant, steuert und korrigiert. Das Lehrwerk ermöglicht den Aufbau eines solchen Monitors für die deutsche Sprache, vor allem in der Funktion möglicher Selbstkorrektur. Das Lehrwerk reduziert die Grundstufengrammatik auf klare, einprägsame, sich stufenweise logisch entwickelnde Schritte. Klarheit und Einprägsamkeit haben dabei Vorrang vor Vollständigkeit bzw. dem Erfassen von Ausnahmen, denn nur so wird der Regelapparat des Monitors handhabbar und effektiv – erweitern lässt er sich zu einem späteren Zeitpunkt immer noch. Die kommunikative Kompetenz der Teilnehmer wird vorausgesetzt, daher ordnet sich das angebotene sprachliche Material der Didaktisierbarkeit des Regelwissens unter.

Suggestopädische Elemente sind die konsequente Bildstützung, Farbcodierung, Lernreime und Lerngedichte, Vorgaben zu häufigen, rhythmisierten Phasenwechseln, bewegten Aktivitäten und die induktive Vorgehensweise.

Das in den Verbtheatern erscheinende Aktantenmodell vereinfacht die Kasus-Logik der deutschen Sprache auf einsichtige und leicht nachvollziehbare Weise; auch als eher schwierig geltende Phänomene wie Relativsätze oder das Passiv werden durch die Vorgehensweise des Lehrwerks problemlos handhabbar.

Vorgehensweise, Ziele

Fast jedes Kapitel beginnt mit Bildmaterial, mit dessen Hilfe grammatische Phänomene plastisch und be-greifbar dargestellt werden. Sie verlieren dadurch ihre befremdende Abstraktheit und bieten einen neuen Zugang, der nicht an bekannte, oft eher negativ erlebte Schulerfahrungen anknüpft. Die induktive Vorgehensweise richtet die Hypothesenbildung auf das Wesentliche und ermöglicht den gelenkt-selbstständigen Aufbau des Fremdprachenmonitors.

Die sich anschließende Übungsphase bietet praxisnahe Kursaktivitäten in wechselnden, oft bewegten Sozialformen, die die verschiedenen Lerntypen berücksichtigen.

In Modellversuchen haben sich Unterrichtseinheiten (UE) von 3 – 4 als sinnvoll erwiesen, verteilt auf 20 Sitzungen. Es ist auch möglich, einen Grundkurs von 10×4 UE einzurichten, der sich auf die Wortartenunterscheidung, das Verbaktanten- und Satzbaumodell sowie die Präpositionen beschränkt. Teilnehmende können anschließend in weiterführende Kurse üblicher Formate eingestuft werden.

Ziel des Lehrwerks ist die Befähigung zum verständnisvollen und selbstständigen Umgang mit der Grundstufengrammatik – also der Erwerb einer soliden Basis für jedes weitere Fortschreiten in der deutschen Sprache.

Wir wünschen Ihnen und Ihren Lernergruppen viel Spaß und Erfolg!

---

1 Stephen Krashen: Second Language Aqusition and Second Language Learning. Oxford: Pergamon Press 1981; Mario Rinvoluccri: How do Second Language Learners Correct Themselves. In: IATEFL Newsletter, April/May 1997, S. 10 f.

2 Z. B. Skill-Autorenteam: Kreativ Lehren und Lernen. Gabal Verlag. 1996.

3 Harald Weinrich: Textgrammatik der deutschen Sprache. Duden Verlag 1993; zum Begriff des Verbtheaters: Evelyn Müller-Küppers: Dependenz-Valenz- und Kasustheorie im Unterricht Deutsch als Fremdsprache. 1991, Materialien DaF Nr. 36.

Aktivitätenbox

Satzbaumaschine 1

Bereiten Sie Papierblätter in den bekannten Satzteil-Farben vor. Schreiben Sie entsprechende Satzteile eines Satzes gut lesbar auf diese Blätter. Nehmen Sie dazu am besten dicke Filzstifte. Nehmen Sie dann ein Blatt und halten es gut sichtbar vor sich. Stellen Sie sich nebeneinander auf, sodass (sinnvolle) Sätze entstehen. Experimentieren Sie ein wenig: Ändern Sie die Reihenfolge der Personen. Wo können die Personen stehen und wo nicht? Lassen Sie sich von Ihrer Kursleiterin/Ihrem Kursleiter korrigieren.

Satzbaumaschine 2

Wie Satzbaumaschine 1, aber: Arbeiten Sie in Gruppen von 3–4 Personen. Jede Gruppe ist nur für bestimmte Satzteile zuständig: Verben oder Subjekte oder Objekte oder Angaben. Schicken Sie eine Person aus jeder Gruppe nach vorne (bei der Verbklammer brauchen Sie zwei Personen aus der Verbgruppe). Dabei entstehen oft lustige Sätze. Wenn eine Person nicht passt, können Sie sie durch eine andere Person austauschen.

Satzpuzzle 1

Arbeiten Sie in Gruppen.
Schreiben Sie die Satzteile und Verben eines Satzes aus der Übung auf kleine Zettel in den bekannten Farben. Legen Sie die Satzteile auf Ihren Tisch, sodass sinnvolle Sätze entstehen. Experimentieren Sie ein wenig: Ändern Sie die Reihenfolge der Zettel. Welche Möglichkeiten gibt es? Diskutieren Sie diese Möglichkeiten.

Satzpuzzle 2

Arbeiten Sie in Gruppen.
Schreiben Sie fünf Sätze zu den Grammatikthemen, die Sie bis jetzt gelernt haben (Verben mit Subjekt; Verben mit Subjekt und Akkusativobjekt; Verben mit Subjekt, Akkusativobjekt und Dativobjekt; Pronomen; Zeit- und Ortsangaben; Verbklammer mit Modalverben oder trennbaren Verben).
Lassen Sie sich diese Sätze von Ihrer Kursleiterin/Ihrem Kursleiter korrigieren.
Dann schreiben Sie die Satzteile Ihrer Sätze auf kleine Zettel in den bekannten Farben. Mischen Sie die Zettel und geben Sie sie an Ihre Nachbargruppe weiter.
Start: Legen Sie die Zettel von Ihrer Nachbargruppe auf den Tisch, sodass wieder fünf sinnvolle Sätze entstehen. Die schnellste Gruppe gewinnt. Spielen Sie so lange, bis alle Satzpuzzles ausgetauscht sind.

Geschichten ums Verb 1

Verbtheater: Verben mit Subjekt und Objekt

Übung 1 **a)** Was machen die Personen/Tiere/Geräte auf den folgenden Bildern?
Schreiben Sie mit einem Wort unter jedes Bild, was da passiert.

_____   backen_____

_____   _____

_____   _____

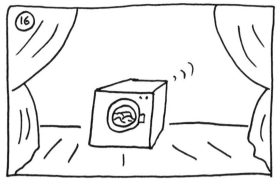

b) Malen Sie diese zwei Bilder genauso an wie die Beispiele auf der Umschlagseite. Malen Sie dann die Bilder 1 – 30 an.

lachen _____ rufen _____

Frieda lacht.
Lachen ist ein Verb. *Frieda* ist das Subjekt, sie tut etwas. Das Verb *lachen* bindet eine Person, Personengruppe oder Sache. Die Grammatik sagt dazu Subjekt. Das Subjekt steht im Nominativ.

Frieda ruft die Kinder.
Rufen ist auch ein Verb. Frieda ist wieder Subjekt, sie tut etwas – sie ruft die Kinder. *Die Kinder* sind hier Objekt. Sie rufen nicht. Das Verb *rufen* bindet eine Person, Personengruppe oder Sache und eine zweite Person, Personengruppe oder Sache, also Subjekt + Objekt (hier im Akkusativ).

c) Spielen Sie Theater: Spielen Sie den anderen Kursteilnehmern immer ein Bild pantomimisch vor. Lassen Sie sie raten, welches Bild Sie darstellen. Wie viele Personen oder Sachen brauchen Sie mindestens, damit die anderen verstehen können, welches Verb Sie vorspielen?

Ergänzen Sie die Regel.
Im Deutschen ist das Verb der wichtigste Satzteil. Jedes Verb ist wie ein kleines Theaterstück. Manchmal gibt es auf der Bühne nur eine Person/Personengruppe oder Sache. Diese Verben binden ein _____ an sich.
Manchmal braucht man auf der Bühne eine Person/Personengruppe oder Sache und noch eine Person/Personengruppe oder Sache, damit der Zuschauer das Theaterstück versteht. Diese Verben binden ein _____ und ein _____ an sich.

Übung 2 **a)** Unterstreichen Sie die Verben mit roter Farbe. Bei der Suche helfen Ihnen diese Fragen: Tut da jemand etwas? Hat das Wort am Ende ein *n* oder *en*? Schreibt man das Wort klein?

> • Tisch • gelb • Postkarte • morgen • schreiben • Theater • ein • manche •
> laufen • schlafen • Buch • ich • hoffen • erst • Computer • groß •
> Schnecke • denken • Kästchen • lochen • Loch • Eis • vielleicht • Maus •
> Hilfe • helfen • prima • denn • kegeln • Currywurst • Martina • sitzen •
> Sessel • die •

> *Ergänzen Sie die Regel.*
> Verben sagen, dass jemand etwas _____ . Sie haben in der Grundform
> (dem Infinitiv) am Ende ein _____ oder ein _____ . Man schreibt sie _____ .

b) Bei den Wörtern oben sind auch Nomen. Suchen Sie diese heraus und unterstreichen Sie sie mit Bleistift. Dabei helfen Ihnen Fragen: Schreibt man das Wort groß? Ist es vielleicht der Name eines Gegenstandes, einer Person oder eines Tieres? Kann *der, die* oder *das* (ein Artikel) dabeistehen?

> *Ergänzen Sie die Regel.*
> Nomen sind die Namen von _____, _____ oder _____
> Man schreibt sie _____ . Zu jedem Nomen gehört ein _____ .

Übung 3 **a)** Ergänzen Sie die Endungen in der Tabelle.

	gehen	essen	fahren	sein	kaufen	schlafen	haben
ich	geh__e__	ess__	fahr__	bin	kauf__	schlaf__	hab__
du	geh__	iss__	fähr__st__	bist	kauf__	schläf__	ha__
er, sie, es	geh__	iss__	fähr__	ist	kauf__t__	schläf__	ha__
wir	geh__	ess__	fahr__	sind	kauf__	schlaf__en__	hab__
ihr	geh__	ess__	fahr__	seid	kauf__	schlaf__	hab__t__
sie	geh__	ess__en__	fahr__	sind	kauf__	schlaf__	hab__

b) Bei manchen Verben ändert sich ein Buchstabe: Aus *a* wird *ä* oder aus *e* wird *i*. Unterstreichen Sie solche Verben in der Tabelle. In welcher Person (*ich, du ...*) kommen diese Veränderungen vor? Kennen Sie noch andere solche Verben? Sammeln Sie im Kurs.

Übung 4   Schauen Sie sich noch einmal die Bilder 1–30 an. Die Satzsalate und die Bilder passen zusammen, und zwar Satzsalat 1 und Bild 1, Satzsalat 2 und Bild 2 usw. Unterstreichen Sie die Wörter aus dem Satzsalat mit denselben Farben, die Sie in den Bildern benutzt haben. Bilden Sie dann aus den Wörtern Sätze.

Satzsalat

1. trinken • er • eine (Flasche) Cola   Er trinkt eine (Flasche) Cola.
2. backen • ich • ein Kuchen   _____
3. kochen • er • eine Suppe   _____
4. Willi • die Zeitung • lesen   _____
5. zeichnen • der Architekt • ein Plan   _____
6. das Brautpaar • der Fotograf • fotografieren   _____
7. Willi • die Freundin • sehen   _____
8. sie • Musik • hören   _____
9. ein Haus • der Maurer • bauen   _____
10. die Ente • schwimmen   _____
11. der Junge • laufen   _____
12. tanzen • die Ballerina   _____
13. wir • ein Lied • singen   _____
14. das Feuer • brennen   _____
15. der Hund • bellen   _____
16. waschen • die Wäsche • die Waschmaschine   _____
17. die Blumen • gießen • sie   _____
18. bestellen • du • ein Kaffee   _____
19. rauchen • er • eine Zigarette   _____
20. er • schlafen   _____
21. Frieda • Willi • küssen   _____
22. scheinen • die Sonne   _____
23. Frieda • ihr • rufen   _____
24. der Junge • weinen   _____
25. lachen • das Mädchen   _____
26. du • denken   _____
27. der Wecker • ich • wecken   _____
28. der Koffer • Frieda • tragen   _____
29. sitzen • sie   _____
30. das Auto • Frieda • reparieren   _____

Übung 5 **a)** Ergänzen Sie die Tabelle mit Hilfe der Sätze aus Übung 4. Lassen Sie die Sätze vorher von Ihrer Kursleiterin / Ihrem Kursleiter korrigieren. Malen Sie den Nominativ grün und den Akkusativ gelb an.

Artikel

Nominativ	Akkusativ
der	→ den
ein	→ _____
die	→ _____
eine	→ _____
das	→ _____
ein	→ _____

Plural (viele)

die	→ die
—	→ —

b) Ergänzen Sie die Tabelle. Setzen Sie die Wörter aus der Wolke ein. Malen Sie den Nominativ grün und den Akkusativ gelb an.

Personalpronomen

Nominativ	Akkusativ
ich	→ _____
du	→ _____
er	→ _____
sie	→ _____
es	→ _____
wir	→ _____
ihr	→ _____
sie	→ _____

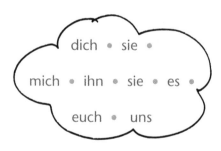

dich • sie •

mich • ihn • sie • es •

euch • uns

Übung 6 Bilden Sie mit den Verben Sätze und zeichnen Sie zu jedem Satz ein Bild. Malen Sie im Bild und im Satz den Nominativ grün und den Akkusativ gelb an.

• malen • baden • bügeln • wandern • lächeln •
laufen • verstehen • kaufen • finden • suchen •

Geschichten ums Verb 2

Noch mehr Theater: Verben mit Subjekt, Objekt und Partner

Übung 1   **a)**   Stellen Sie die Verben pantomimisch dar.

• schenken • zeigen • geben • vorlesen • bringen • erklären •

b)   Betrachten Sie jetzt die Bilder 1 – 6. Besprechen Sie im Kurs:

– Wie viele Einzelpersonen oder Personengruppen sehen Sie auf dem Bild?
– Auf jedem Bild gibt es eine Sache. Was passiert mit dieser Sache?
– Kann man das Verb auf dem Bild noch erkennen, wenn man eine Person oder
Personengruppe oder die Sache weglässt?

_____   _____

c) Schreiben Sie die Verben aus a) unter die passenden Bilder.

Ergänzen Sie die Regel.
Zu den Verben, die wir jetzt kennen gelernt haben, gehören eine _____
oder Personengruppe (das Subjekt im Nominativ), noch eine Person oder
_____ (Objekt im Dativ) und eine _____ (Objekt im Akku-
sativ). Nur wenn das Subjekt und beide Objekte gezeigt werden, kann man das Verb
durch eine Pantomime darstellen.

Übung 2 **a)** Malen Sie die Bilder in Übung 1 genauso an wie die Beispiele auf der Umschlagseite.

  b) Schreiben Sie jeweils einen Satz mit dem gezeigten Verb.

Übung 3 **a)** Ergänzen Sie die Tabelle mit den Wörtern aus der Wolke. Malen Sie den Nominativ
  grün, das Objekt im Akkusativ gelb und das Objekt im Dativ rosa an.

Artikel

Nominativ		Akkusativ		Dativ
der	→	den	→	_____
ein	→	_____	→	_____
die	→	_____	→	_____
eine	→	_____	→	_____
das	→	_____	→	_____
ein	→	_____	→	_____
Plural (viele)				
die	→	die	→	_____
—	→	—	→	—

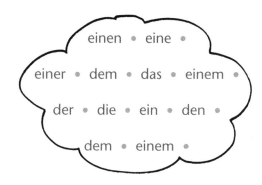

einen • eine •
einer • dem • das • einem •
der • die • ein • den •
dem • einem •

b) Ergänzen Sie auch diese Tabelle mit den Wörtern aus der Wolke und malen Sie den Nominativ grün, den Akkusativ gelb und den Dativ rosa an.

Personalpronomen

Nominativ		*Akkusativ*		*Dativ*
ich	→	mich	→	_____
du	→	dich	→	_____
er	→	ihn	→	_____
sie	→	sie	→	_____
es	→	es	→	_____
wir	→	uns	→	_____
ihr	→	euch	→	_____
sie	→	sie	→	_____

ihnen • mir •
euch • dir • uns • ihm •
ihm • ihr

Übung 4   Satzsalat

Bilden Sie aus den Wörtern Sätze. Zeichnen Sie zu jedem Satz ein Bild und malen Sie die Sätze und die Bilder in den bekannten Farben an.

1. leihen • du • ich • Geld
2. bringen • du • der Kuchen • ich
3. beantworten • er • die Frage • sie
4. empfehlen • ich • er • das Restaurant
5. die Großmutter • die Kinder • das Märchen • erzählen
6. schicken • ich • die Eltern • ein Päckchen
7. der Vater • der Sohn • das Rauchen • erlauben
8. versprechen • der Freund • ich • Hilfe

Übung 5   Einige Verben brauchen nur eine Person oder Personengruppe und eine Sache, um einen kompletten Satz zu bilden, können aber auch noch freiwillig eine zweite Person oder Personengruppe an sich binden. Auf der Bühne ist praktisch noch Platz für eine zweite Personenrolle.

Ich kaufe ein Buch.

Ich kaufe meinem Freund ein Buch.

Hier sind einige Verben, die genauso funktionieren. Bilden Sie Sätze.

• kochen • schneiden • schreiben • nähen • putzen •

Geschichten ums Verb 3

Ausnahmen schaden niemandem: Verben mit Objekt im Dativ

Übung 1 Unterstreichen Sie Subjekte und die Dativformen im Text. Zu welchem Verb gehören sie? Tragen Sie Ihre Ergebnisse in die Tabelle ein.

Oft begegnen mir Menschen, die ich noch nicht gut kenne. Manchmal vertraue ich ihnen von Anfang an. Das hat mir selten geschadet, meistens nützt es mir, wenn ich mich auf mein Gefühl verlasse. Es genügt mir meistens, einem Menschen in die Augen zu sehen – dann fühle ich, ob er mir gefällt.

Subjekt	Verb	Objekt im Dativ

Ergänzen Sie die Regel.
Manche Verben binden eine Person, Personengruppe oder Sache (_____)
und eine Person oder Personengruppe (_____objekt) an sich. Auf der
Bühne sind also – wie bei Verben mit dem Akkusativ – eine Person, Personengruppe
oder Sache und eine weitere Person. Diese Verben kann man also nach dem
Theaterbühnen-Prinzip nicht von Verben mit Nominativ und Akkusativ unterschei-
den. Man muss sie als Ausnahmen betrachten und lernen.

Übung 2 **a)** Hier sind einige weitere Verben mit Objekt im Dativ. Kennen Sie alle? Bilden Sie Sätze.

• antworten • befehlen • danken • einfallen • fehlen • folgen • gehören •
gelingen • glauben • gratulieren • passen • raten • schmecken •
stehen (Kleidung) • zuhören • weh tun •

b) Schreiben Sie zu den Bildern eine kleine Geschichte (mindestens einen Satz pro Bild). Benutzen Sie passende Verben mit Objekt im Dativ.

c) Malen Sie eine ähnliche Bildergeschichte und schreiben Sie einen Text dazu. Benützen Sie möglichst viele Verben mit Objekt im Dativ. Organisieren Sie im Kurs eine kleine Ausstellung.

Geschichten ums Verb 4

Klein und wichtig – für mich und dich und für unsere Freunde: Personalpronomen und Possessivartikel

Übung 1 a) Betrachten Sie die Bilder und die Texte. Malen Sie die Sätze in den Sprechblasen in den bekannten Farben an – was ist das Subjekt, was sind Objekte im Akkusativ und/oder Dativ?

Das ist mein Bruder. In der Hand hat er seinen Teddy.

Und das ist meine Freundin Frieda. Sie hält ihr Lieblingsbuch.

Das sind unsere Eltern. Sie haben gern Besuch. Oft kommen ihre Verwandten. Sie sagen dann vorher: *Könnt ihr bitte eure Sachen aufräumen?* Manchmal sagt mein Vater zu meiner Mutter: *Deine Kinder sind aber mal wieder laut! Du musst das deinen Kindern mal sagen!*

b) Welche Wörter sagen, dass jemandem etwas gehört? Welche Endungsunterschiede erkennen Sie bei diesen Wörtern (z. B. *sein – seinen*). Welche anderen Wörter, die Sie kennen, haben die gleichen Endungen?

Ergänzen Sie die Regel.
Possessivartikel sagen, dass jemandem etwas gehört oder dass jemand zu einer Person gehört. Sie haben dieselben Endungen wie der unbestimmte _____ (*ein – eine – ein*).

Übung 2 Setzen Sie die Possessivartikel ein.

Ich habe ein Buch.	Ich nehme _mein_____ Buch.
Du hast eine Schwester.	Ich kenne _____ Schwester.
Er hat einen Bruder.	Ich kenne _____ Bruder.
Sie hat einen Freund.	Ich kenne _____ Freund.
Das Kind hat einen Ball.	Ich nehme _____ Ball.
Wir haben eine Idee.	Wir finden _____ Idee gut.
Ihr habt ein neues Auto.	Ich mag _____ neues Auto.
Ihr habt einen Onkel.	Ich kenne _____ Onkel.
Sie haben viele Freunde.	Ich kenne alle _____ Freunde.

Merksatz:
mein und dein
sein – ihr – sein
unser – euer – ihr
fertig sind wir

Übung 3 Lesen Sie die Texte. Unterstreichen Sie die Verben, die Subjekte und Objekte in den bekannten Farben. Ersetzen Sie dann die fett gedruckten Nomen und Artikel durch die Wörter aus der Wolke – sie heißen Pronomen.

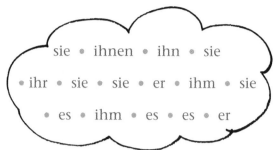

sie • ihnen • ihn • sie
• ihr • sie • sie • er • ihm • sie
• es • ihm • es • es • er

Das ist ein großer Apfelbaum. **Der Baum** steht vor meinem Fenster. Wasser und Sonne geben **dem Baum** Kraft. Ich sehe **den Baum** jeden Tag. Ich hoffe, **der Baum** lebt noch lange.

Das ist die Sonne. **Die Sonne** scheint in Deutschland nicht so oft.
Die Menschen lieben **die Sonne.** Alle Kulturen geben **der Sonne** eine große Bedeutung.

Das ist Gras. **Das Gras** ist weich. Regen gibt **dem Gras** ein saftiges Grün. Ich sehe **das Gras** sehr gerne und vermisse **das Gras**, wenn ich lange Zeit nur in der Stadt war.

Das sind Sterne. **Die Sterne** leuchten hell in der Nacht. Manchmal verdecken Wolken **die Sterne.** Viele Leute vertrauen **den Sternen**, wenn sie ihren Weg durch die Nacht suchen. **Die Sterne** sind wunderschön: Ihr Licht ist silbrig.

der – die – das – oder was? Artikel 1: der

Übung 1 **a)** Wörter mit diesen Endungen haben oft den Artikel
der. Meist sind es Fremdwörter. Suchen Sie Beispiele
für jede Endung.

-ant, -ent, -or
-ist, -eur, -er
-et und -loge
bitte sehr!
-ismus und noch
-ling dazu –
raus bist du!

der Praktik**ant**, _____

der Stud**ent**, _____

der Hum**or**, _____

der Pian**ist**, _____

der Mass**eur**, _____

der Lehr**er**, _____

der Proph**et**, _____

der Psycho**loge**, _____

der Sozial**ismus**, _____

der Säug**ling**, _____

b) Lernen Sie den Merksatz auswendig.

Übung 2 **a)** Den Artikel *der* haben auch Wörter aus den folgenden Bereichen. Suchen Sie
weitere Beispiele.

Jahreszeiten, Monate, Tage, Tageszeiten:
der Sommer, _____
_____

Himmelsrichtungen, Niederschläge, Luftbewegungen:
der Norden, der Regen, der Wind, _____
_____

Mineralien:
der Diamant, der Stein, _____

Namen von Automarken:
der Audi, _____

b) Schreiben Sie eine kurze Geschichte, in der möglichst viele Wörter aus diesem Bild
und aus Übung 2a vorkommen.

Geschichten ums Verb 5

Wo steht was? – Satzbaumodelle

Übung 1 Was sehen Sie auf den Bildern? Malen Sie die Bilder in den bekannten Farben an.

Er hat. Dieser Satz ist nicht komplett.   *Er hat einen VW.* Dieser Satz ist komplett.

Wenn ich also das Verb *haben* als Theaterstück spielen will, brauche ich unbedingt ein Subjekt (hier eine Person) und ein Objekt im Akkusativ (hier eine Sache), sonst kann man das Theaterstück nicht verstehen (→ *Geschichten ums Verb 1*).

Übung 2 Malen Sie die Bilder in den bekannten Farben an.

Jetzt und *in der Tasche* sind zusätzliche Informationen. Ich brauche sie nicht unbedingt, damit der Satz komplett wird – das Theaterstück *haben* kann man auch ohne sie verstehen. Diese Informationen geben hier Zeit und Ort an. Man nennt sie daher Zeitangabe und Ortsangabe.

1. Verben + Subjekt

Übung 3   Satzbaumaschine

a) Malen Sie die Verben und die Subjekte auf den Wortschildern in den bekannten Farben an. Organisieren Sie dann die Satzbaumaschine 1 im Kurs (→ Aktivitätenbox S. 6).

b) Malen Sie auch die Schilder für Subjekt und Verb über der Tabelle an. Schreiben Sie dann die Satzteile so in die Tabelle, dass sinnvolle Sätze entstehen.

c) Ändern Sie nun die Reihenfolge: Setzen Sie die Ortsangabe oder die Zeitangabe an die erste Stelle.

Ergänzen Sie die Regel.

Das Verb steht immer auf Platz _____. Das Subjekt ist immer mit dem Verb verbunden, es steht auf Platz _____ oder Platz _____. Stehen zwei Angaben hintereinander, steht die _____angabe meistens vor der _____angabe.

Übung 4 Bilden Sie mit den Bausteinen Sätze. Sie können die Zeitangabe und die Ortsangabe einsetzen oder nur eine von beiden.

2. Verben + Subjekt + Objekt im Akkusativ

Übung 5 **Satzpuzzle**

a) Malen Sie die Satzteile auf den Wortschildern in den bekannten Farben an. Organisieren Sie mit diesen Satzteilen das Satzpuzzle 1 in Ihrer Gruppe (→ Aktivitätenbox S. 6).

b) Malen Sie auch die Schilder über der Tabelle an. Schreiben Sie die Satzteile so in die Tabelle, dass sinnvolle Sätze entstehen.

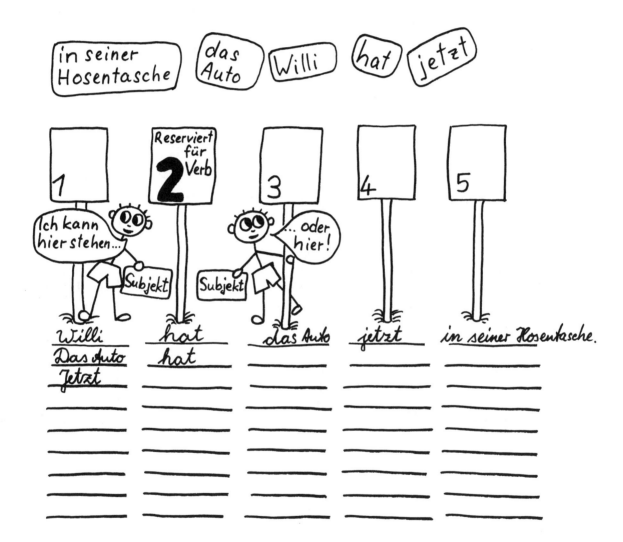

Ergänzen Sie die Regel.

Außer dem Verb (Platz _____) und dem Subjekt (Platz _____ oder Platz _____)
sind die übrigen Satzteile relativ frei beweglich.

Übung 6 Bilden Sie mit den Bausteinen Sätze. Sie können die Zeitangabe und die Ortsangabe einsetzen oder nur eine von beiden. Achten Sie auf die Akkusativendungen.

feiern
beobachten
gewinnen
kochen
vergessen

mein Nachbar
der Detektiv
das Pferd
ihr Mann
meine Freundin

sein Geburtstag
ein Ladendieb
das Rennen
ein Festessen
ihr Schlüssel

in der Disco
im Kaufhaus
in Paris
zu Hause
im Büro

am Wochenende
nachmittags
am Sonntag
morgen
immer

3. Verben + Subjekt + Objekt im Akkusativ (Sache) + Objekt im Dativ (Person)

Übung 7 **Satzpuzzle**

a) Malen Sie die Satzteile an. Organisieren Sie das Satzpuzzle 1 mit diesen Satzteilen
(→ Aktivitätenbox S. 6).

b) Schreiben Sie die Satzteile so in die zwei Tabellen, dass sinnvolle Sätze entstehen.

Ergänzen Sie die Regel.

Bei Verben mit Subjekt, Objekt im Dativ und Objekt im Akkusativ sind auf der Theaterbühne eine _____ / _____, noch eine _____ / _____ und eine Sache. Die zweite Person/Personengruppe steht im _____ und die Sache im _____. Verb, Subjekt und Objekt im Dativ bilden oft eine feste Gruppe, sie stehen meistens zusammen.

Übung 8 Bilden Sie mit den Bausteinen Sätze. Sie können die Zeitangabe und die Ortsangabe einsetzen oder nur eine von beiden. Achten Sie auf die Akkusativ- und die Dativendungen.

leihen
wünschen
anbieten
erzählen
erlauben

ich
die Mutter
sie
sein Freund
wir

du
ihre Tochter
ich
er
sie

in den Ferien
vor der Fahrt
selten
morgen
abends

in Frankreich
am Auto
zu Hause
in der Schule
nur auf dem Balkon

der Badeanzug
alles Gute
Tee
die Geschichte
das Rauchen

4. Kurz – Kurz? Lang – Lang?

Übung 9 Satzbaumaschine

Malen Sie das Bild und die Sätze in den bekannten Farben an. Organisieren Sie die
Satzbaumaschine 1 (→ Aktivitätenbox S. 6). Was fällt Ihnen an der Satzstellung auf?

Willi empfiehlt seinem Freund ein
Restaurant.
Willi empfiehlt ihm ein Restaurant.
Willi empfiehlt es dem Freund.
Willi empfiehlt es ihm.

Ergänzen Sie die Regel.
In Sätzen mit Akkusativ und Dativ (und nicht nur in solchen Sätzen) stehen kurze
Satzteile _____ langen Satzteilen. Wenn Akkusativ und Dativ Pronomen sind,
steht _____ vor _____.

Übung 10 Satzsalat

Bilden Sie aus den Satzteilen Sätze.

1. geben • die Großmutter • ein Stück Schokolade • ich

_____

2. ich • mein Freund • zeigen • das

_____

3. zu Weihnachten • ein interessantes Buch • schenken • er • sie

_____

4. morgen • du • ich • bringen • die Videokassette • nach Hause

_____

5. kochen • ich • meine Nachbarin • sonntags oft • eine Suppe

_____

Geschichten ums Verb 6

Zwei und Ende! – Verbklammer

Übung 1   Was sehen Sie auf den Bildern? Setzen Sie ein passendes Verb aus den Wölkchen ein.

Er _____ etwas trinken.

Er _____ nicht sehen.

Hier _____ man nicht parken.

Hier _____ man aufpassen.

Er _____ nicht rauchen.

Sie _____ gern verreisen.

Diese Verben nennt man Modalverben.

Übung 2 Ergänzen Sie die Formen der Modalverben.

	wollen	können	dürfen	müssen	sollen	möchten
ich	___	___	___	___	___	___
du	___	___	___	___	___	___
er/sie/es	___	___	___	___	___	___
wir	___	___	___	___	___	___
ihr	___	___	___	___	___	___
sie	___	___	___	___	___	___

Übung 3 Schreiben Sie die Sätze aus Übung 1 in das Schema.

Übung 4 **Satzbaumaschine**

Organisieren Sie die Satzbaumaschine 2 im Kurs (→ Aktivitätenbox S. 6).

> *Ergänzen Sie die Regel.*
> Die Modalverben haben meistens noch ein zweites Verb. Das zweite Verb wird
> nicht konjugiert, das heißt, es hat keine Personalendung, es steht im
> _____. Das Modalverb steht auf Platz _____, das zweite Verb steht am
> _____ des Satzes. Man sagt, die zwei Verben bilden eine Klammer um
> den Satz, und man spricht von der _____.

Übung 5   Satzbaumaschine

a) Schreiben Sie mit den Verben auf den Wortschildern Sätze an die Tafel. Organisieren Sie mit diesen Sätzen die Satzbaumaschine 2 im Kurs (→ Aktivitätenbox S. 6). Schreiben Sie jetzt aber die Verben im Infinitiv und schreiben Sie die Verbendungen (-*e*, -*st*, -*t*) auf extra Zettel. Wenn Sie die Sätze zusammenstellen, schneiden Sie mit einer großen Schere die trennbare Vorsilbe vom Verb ab und legen Sie die jeweils passende Personalendung an das Verb.

b) Schreiben Sie mit diesen oder ähnlichen Verben Sätze in das Schema.

Ergänzen Sie die Regel.

Manche Verben kann man *„auseinander schneiden"*. Man nennt sie trennbare Verben. Ihr erster Teil (trennbare Vorsilbe) wird abgeschnitten und an das _____ des Satzes gestellt. Die trennbaren Verben bilden also, wie die Modalverben, eine _____.

Die trennbaren Vorsilben sind immer betont:

Sie macht die Tür zú.

Es gibt auch Vorsilben, die man nicht vom Verb trennen kann. Man nennt sie untrennbare Vorsilben: ver- (verstehen) ent- (entscheiden) zer- (zerbrechen) ge-(gebrauchen) be-(beantworten) miss- (missverstehen) er- (erhalten)

Die untrennbaren Vorsilben sind nicht betont:

Sie beántwortet eine Frage.

Übung 6   Sprechen Sie den *Hausarbeits-Blues* gemeinsam im Chor. Er hat einen Rhythmus. Wo sind die betonten Silben? Setzen Sie Betonungszeichen.

Der Hausarbeits-Blues

aufstehen • aufräumen		beziehen • zerreißen
Staub saugen • abwaschen		erledigen • besorgen
aufwischen • weglegen	Kaffeepause	verzieren • entstauben
zuschrauben • ausbürsten		entsorgen • vergessen

WAAS? Schon wieder schmutzig???

Übung 7   Schreiben Sie in Gruppen ähnliche Raps zu einem Thema Ihrer Wahl. Hier einige Themenvorschläge:

- Sonntag
- Regenwetter
- Kochen
- Arbeit

Vielleicht fallen Ihnen noch andere Themen ein?

Übung 8   **Satzpuzzle**

Erstellen Sie das Satzpuzzle 2 in Ihrer Gruppe (→ Aktivitätenbox S. 6).

Geschichten ums Verb 7

Spiel's noch einmal, Sam! – Imperativsätze

Übung 1 Geben Sie sich im Kurs gegenseitig Anweisungen und führen Sie sie aus. (Zum Beispiel: ein Lied singen, auf dem Tisch tanzen, einen Kaffee holen …) Lassen Sie sich von Ihrer Kursleiterin / Ihrem Kursleiter korrigieren.

Übung 2 Herr Hausmann muss plötzlich verreisen. Leider kennt sich seine Frau gar nicht mit den Haushaltsgeräten aus. Deshalb schreibt er ihr kleine Zettel, die ihr genau erklären, was sie machen muss.

Setzen Sie die Verben in der richtigen Form ein.

Du stehst vor der Waschmaschine.

1. _____ die Tür _____. (aufmachen)
2. _____ die Wäsche _____. (hineinlegen)
3. _____ die Tür _____. (zumachen)
4. _____ das Waschpulver _____. (einfüllen)
5. _____ den Wasserhahn _____. (aufdrehen)
6. _____ das richtige Programm. (wählen)
7. _____ auf den Startknopf. (drücken)

Auch für seine zwei Kinder schreibt er einen Zettel.

1. _____ morgens pünktlich _____. (aufstehen)
2. _____ euch ordentlich! (waschen)
3. _____ eure Hausaufgaben! (machen)
4. _____ die Katze regelmäßig! (füttern)
5. _____ lieb zu Mama. (sein)

Im Flugzeug hört Herr Hausmann Folgendes:

Bitte _____ Sie sich _____. (anschnallen)
Bitte _____ Sie jetzt nicht mehr. (rauchen)
Bitte _____ Sie keine elektronischen Geräte. (benutzen)
Bitte _____ Sie Ihre Rückenlehne senkrecht. (stellen)

Ergänzen Sie die Regel.

Den Imperativ verwendet man für Aufforderungen. Es gibt drei Formen.

1. du-Form: *dú drückst* (minus *du* minus *st*): _____!

   aber: *Du wäschst die Socken.*

   Wasch die Socken! (kein Umlaut)

2. ihr-Form: *ihr macht* (minus *ihr*): _____!

3. Sie-Form: *Sie stellen:* _____ Sie! (genau wie die _____-Form).

Übung 3 Stellen Sie sich vor, Sie verreisen für einen Monat. Schreiben Sie Briefchen an einen oder zwei Ihrer Kurskolleginnen und Kollegen. Bitten Sie sie darum, in Ihrer Abwesenheit (gemeinsam?) etwas für Sie zu erledigen.

der – die – das – oder was? Artikel 2: die

Übung 1   **a)** Wörter mit diesen Endungen haben den
Artikel *die*. Suchen Sie Beispiele für jede Endung.

Merksatz:
-heit, -keit,
-ung, -schaft,
-ät, -ion, -ik,
-ur, -thek, -ie
-ei, -nz

die Gesund**heit**, _____

die Kleinig**keit**, _____

die Zeit**ung**, _____

die Freund**schaft**, _____

die Nationalit**ät**, _____

die Nat**ion**, _____

die Grammat**ik**, _____

die Nat**ur**, _____

die Disko**thek**, _____

die Batter**ie**, _____

die Drucker**ei**, _____

die Subst**anz**, _____

Wörter mit der Endung *-e* haben oft den Artikel *die*:
die Reis**e**, die Kris**e**, _____

b) Lernen Sie die Endungen auswendig.

Übung 2   Den Artikel *die* haben auch

– viele Namen von Blumen und Bäumen:

_____

aber: der Rhein, der Main

– natürliche Zahlen:

– viele Namen von Flüssen:

_____   _____

Suchen Sie Beispiele.

Klare Verhältnisse 1

Mit oder ohne Zucker? – Präpositionen mit Dativ oder Akkusativ

Übung 1 Suchen Sie für jedes Wort das passende Bild. Schreiben Sie dann einen Satz mit diesem Wort unter das Bild. Übrigens: Diese Wörter nennt man Präpositionen.

• ab • aus • außer • bei • durch • entlang • für • gegen • gegenüber •
mit • nach • ohne • seit • um • von • während • zu •

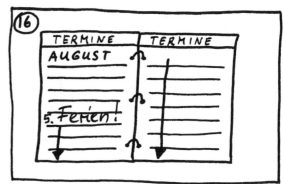

Übung 2   **a)** Besprechen Sie im Kurs: Nach welchen Präpositionen benutzt man den Dativ, nach welchen den Akkusativ?

b) Unterstreichen Sie Dativ und Akkusativ in Ihren Sätzen mit Rosa und Gelb.

Übung 3   Tragen Sie die Präpositionen in die Tabelle ein und malen Sie sie in den bekannten Farben an.

Präpositionen mit Dativ	Präpositionen mit Akkusativ

Übung 4 Viele Präpositionen haben mehrere Bedeutungen, zum Beispiel *Ich komme **nach** Hause* (Ort, Richtung) und *Ich komme **nach** dem Mittagessen* (Zeit).

    a) Welche Bedeutung haben die Präpositionen *von, um, nach, gegen* und *ab* auf den Bildern in Übung 1 (Ort, Richtung, Zeit, Zugehörigkeit)?

    b) Bilden Sie weitere Sätze mit den Präpositionen in a). Geben Sie Ihnen eine andere Bedeutung als auf den Bildern.

_____

_____

_____

_____

_____

_____

_____

> ***Ergänzen Sie die Regel.***
> Präpositionen sind Wörter, die den _____, die _____, die _____ oder die _____ ausdrücken. Eine Präposition kann verschiedene Bedeutungen haben. Nach einigen Präpositionen kommt der _____, nach anderen Präpositionen kommt der _____.
> Wann Dativ und wann Akkusativ benutzt werden, kann man nicht immer erklären, man muss es lernen.

Übung 5 **a)** Lesen Sie das Gedicht und markieren Sie die Präpositionen mit Akkusativ.

Wegbeschreibung

Die Straße entlang

nicht gegen 'nen Baum

durch einen Fluss

nicht ohne zu schau'n

dann um die Ecke

das war die Strecke

hast du Blumen für mich

umarm' ich dich!

b) Malen Sie ein zu dem Gedicht passendes Bild. Jede Zeile des Gedichtes sollte in dem Bild zu sehen sein.

c) Decken Sie das Gedicht mit einem Blatt zu und sagen Sie das Gedicht auf. Das Bild hilft Ihnen dabei.

d) Machen Sie die Augen zu. Sehen Sie das Bild mit Ihrem inneren Auge vor sich. Sagen Sie das Gedicht auf.

e) Stehen Sie auf. Stellen Sie sich mit Ihren Kurskolleginnen und -kollegen in einem Kreis auf. Sprechen Sie das Gedicht laut im Chor und machen Sie zu jeder Zeile eine passende Bewegung.

Herzlichen Glückwunsch! Sie haben das Gedicht auswendig gelernt! Wiederholen Sie den Gedichttext noch einmal heute Abend vor dem Einschlafen, morgen früh und in einer Woche. Dann werden Sie die Präpositionen mit Akkusativ nicht mehr vergessen. (Diese Methode können Sie als Merkhilfe immer benutzen!)

Übung 6 **a)** Lesen Sie das Gedicht und markieren Sie die Präpositionen mit Dativ.

Nach dem Regen

Von meinem Fenster seh' ich sie
der Birke gegenüber
doch geh ich heut' nicht aus dem Haus
zu meiner Tante rüber
seit langer Zeit besuch' ich sie
doch während diesem Regen
da bleibe ich dann hier bei mir
muss ich das überlegen?
ab morgen geh' ich wieder hin
mit einem Sträußchen schön
außer Lilien ist da alles drin
damit ich sie verwöhn'.

b) Bearbeiten Sie dieses Gedicht genauso wie das Gedicht in Übung 5.

Klare Verhältnisse 2

Mal so, mal so: Wechselpräpositionen

Übung 1 **a)** Was sehen Sie auf den Bildern? Bilden Sie Sätze und benutzen Sie die vorgegebenen Verben. Korrigieren Sie im Kurs, gemeinsam mit Ihrer Kursleiterin / Ihrem Kursleiter. Markieren Sie Akkusativ und Dativ im Satz mit den entsprechenden Farben.

_____ _____

b) Geben Sie sich im Kurs gegenseitig Anweisungen. Benutzen Sie die Verben aus 1a) und die Präpositionen *in, an, auf, über, unter, neben, zwischen, vor* und *hinter*, z. B.: *Leg das Buch auf deinen Kopf.*
Fragen Sie anschließend danach: *Wo liegt das Buch?*
Lassen Sie sich von Ihrer Kursleiterin / Ihrem Kursleiter korrigieren. Überlegen Sie: Welche Sätze drücken eine Bewegung in eine Richtung aus? Welche Sätze drücken eine Position oder einen Ort aus? Wann benutzen Sie Akkusativ und wann Dativ?

> ***Ergänzen Sie die Regel.***
> Bei neun Präpositionen wechseln Akkusativ und Dativ je nach Situation. Man nennt Sie Wechselpräpositionen. Die Wechselpräpositionen stehen mit
> _____, wenn sie eine Bewegung in eine Richtung (von A nach B) ausdrücken. Man fragt dann mit dem Fragewort _____. Die Wechselpräpositionen stehen mit _____, wenn sie eine Position oder einen Ort ausdrücken. Man fragt dann mit dem Fragewort _____.

Übung 2 Ergänzen Sie die Tabelle und markieren Sie die Präpositionen mit den entsprechenden Farben.

Präpositionen mit Dativ	Wechselpräpositionen	Präpositionen mit Akkusativ

Übung 3   **a)** Willi treibt heute Sport. Was macht er den ganzen Tag? Bilden Sie Sätze mit Hilfe der Wechselpräpositionen. In a und b geht es immer um dieselbe Präposition: Jede der neun Wechselpräpositionen muss einmal benutzt werden.

b) Lassen Sie sich von Ihrer Kursleiterin / Ihrem Kursleiter korrigieren. Warum wechseln Akkusativ und Dativ?

c) Bilden Sie Gruppen zu drei oder vier Personen. Gehen Sie (in Ihrem Kursraum und/oder in Ihrem Schulgebäude) umher und geben Sie sich gegenseitig Anweisungen. Benutzen Sie die Wechselpräpositionen und Verben, die eine Bewegung ausdrücken, z. B. *Geh ans Fenster*. Diskutieren Sie: Wann sagt man *Ich gehe vor die Tür* und wann *Ich gehe vor der Tür*? Was ist der Unterschied von *Ich laufe ins Zimmer* und *Ich laufe im Zimmer*? Oder *Ich gehe auf die Treppe* und *Ich gehe auf der Treppe*?

Ergänzen Sie die Regel.

Die Wechselpräpositionen stehen mit _____, wenn sie eine Bewegung in eine Richtung ausdrücken und sich dabei die Umgebung ändert. Man fragt dann mit dem Fragewort _____. Die Wechselpräpositionen stehen mit _____, wenn sie eine Position oder einen Ort ausdrücken. Die Umgebung ändert sich nicht. Man fragt dann mit dem Fragewort _____.
Aber: *am Montag, im Mai, zwischen den Jahren*
Wechselpräpositionen stehen mit _____, wenn sie eine Zeit ausdrücken.

Übung 4   **a)** Beschreiben Sie die Bilder mit Hilfe der Wechselpräpositionen. Bilden Sie mit jeder
Wechselpräposition einen Satz.

_____   _____

b) Decken Sie die Bilder zu und malen Sie sie aus dem
Gedächtnis nach. Können Sie die
Wechselpräpositionen schon auswendig?

c) Stellen Sie sich mit Ihrem Kurs im Kreis auf.
Sprechen Sie die Wechselpräpositionen im Chor.
Machen Sie für jede Präposition eine passende
Handbewegung. Wiederholen Sie das mehrere Male.

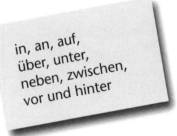

in, an, auf,
über, unter,
neben, zwischen,
vor und hinter

Klare Verhältnisse 3

Unter die Lupe genommen: Einige Richtungspräpositionen

Übung 1 Sie möchten in Urlaub fahren und haben verschiedene Ziele: Paris, Frankreich, die USA, die Schweiz und Zürich. Wohin fahren Sie? Bilden Sie Sätze.

Übung 2 Bilden Sie Sätze mit den Worten aus den Wölkchen und den Präpositionen im Zug: Wohin fährt/geht Willi?

Ergänzen Sie die Regel.
Wenn wir uns zu einer Stadt, einer Region oder einem Land bewegen, benutzen wir die Präposition _____ . Wenn der Name des Ortes, den wir besuchen, einen Artikel hat, brauchen wir die Präposition _____ + Akkusativ. Wenn wir uns zu einer bestimmten Person oder einem bestimmten Gebäude bewegen, benutzen wir häufig die Präposition _____ .
Ausnahme: *Ich gehe direkt <u>nach</u> Hause und bleibe dann <u>zu</u> Hause.*

Übung 3   Zum Schluss: Zwei Übungen zu allen Präpositionen

a) Setzen Sie die fehlenden Präpositionen, Artikel und Endungen ein.

Ich brate ein Spiegelei.

Ich komme _____ Montag immer spät _____ Hause und habe großen Hunger. Also gehe ich _____ d_____ Küche, nehme eine Pfanne _____ d_____ Schrank und stelle d_____ Pfanne _____ d_____ Herd. Ich nehme ein_____ Flasche Öl _____ Regal und gieße etwas Öl _____ d_____ Pfanne. Ich schalte d_____ Herd ein. Wenn das Öl brutzelt, hole ich ein_____ Ei _____ d_____ Kühlschrank und schlage es _____ d_____ Pfanne. Ich stelle ein_____ Teller _____ d_____ Tisch, lege ein _____ Messer und ein_____ Gabel daneben. Wenn d_____ Ei fertig ist, lege ich es _____ d_____ Teller und streue Salz und Pfeffer _____ d_____ Ei. Schließlich schneide ich noch eine Scheibe _____ Brot ab und esse d_____ Ei _____ d_____ Brot. Guten Appetit!

b) Schreiben Sie ähnliche Texte. Beschreiben Sie jeden Handgriff, den Sie tun, genau. Benutzen Sie möglichst viele verschiedene Präpositionen.

Einige Themenvorschläge:

Ich wechsele einen Autoreifen.
Ich koche Kaffee.
Ich nähe ein Kleid.
Ich tapeziere das Wohnzimmer.

Oder haben Sie eine ganz andere Idee?

Ich . . .

der – die – das – oder was? Artikel 3: das

Übung 1

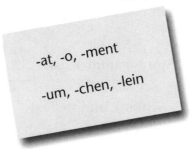

-at, -o, -ment

-um, -chen, -lein

a) Wörter mit diesen Endungen haben oft den Artikel *das*. Suchen Sie Beispiele für jede Endung.

das Result**at**,_____

das Bür**o**, _____

das Parla**ment**, _____

das Stud**ium**, _____

das Mäd**chen**, _____

das Tisch**lein**, _____

b) Lernen Sie die Endungen auswendig.

Übung 2 Den Artikel *das* haben auch

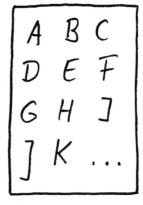

– die Namen von den meisten Metallen: _____

– Bruchzahlen (aber *die Hälfte*): _____

– Buchstaben: _____

– Farben: _____

und die Namen für Hotels, Cafés, Kinos, Theater: _____

_____

Suchen Sie zu diesen Oberbegriffen Beispiele.

Übung 3 Testen Sie sich selbst: Ordnen Sie die Wörter in die Artikelspalten ein.

• Gold • Wind • Rose • Diamant • Brille • Donau • Kleinigkeit • Richtung •
Brötchen • Sturm • Fräulein • Birke • Diskothek • Narzisse • Viertel •
Blau • Freiheit • Gesellschaft • Polizist • Mai • Regen • Traktor •
Mercedes • Lehrling • Mixtur • Meteorologe • Kupfer • Funktion • Poet •
Nationalität • A und O • Donnerstag • Mosel • Schnee • Saphir •
Ingenieur • Bäcker • Schweinerei • Toleranz • Spezialist • Kino • Brötchen •
Politik • Eitelkeit • Referat • Philosophie • Schwarz • Opel • Orkan •
Tanne • Morgen • Motor • Herbst • Nationalismus •

der	die	das

Endungen ohne Ende 1

Wie finden Sie mein neues Kleid? – Adjektivdeklination

Übung 1   Lesen Sie die Texte. Welche Wörter antworten auf die Frage *Wie ist diese Sache?*
Wie nennt man diese Wörter? Wann haben diese Wörter eine Endung und wann nicht?

Sie trägt einen Rock.
Wie ist der Rock?
Er ist *schön*.
Das ist ein *schöner* Rock.

Er trägt eine Hose.
Wie ist die Hose?
Sie ist *kurz*.
Er trägt eine *kurze* Hose.

Sie trägt ein Kleid.
Wie ist das Kleid?
Es ist *lang*.
Sie trägt ein *langes* Kleid.

Ergänzen Sie die Regel.

Adjektive sind Wörter, die auf die Frage _____ ? antworten. Sie geben zusätzliche Informationen über Nomen, beschreiben also Menschen, Tiere, Gegenstände
usw. Wenn sie _____ dem Nomen stehen, haben sie eine Endung.

Übung 2 a) Markieren Sie die Satzteile mit den entsprechenden Farben. Die Adjektive gehören
mit zum Nomen, bekommen also dieselbe Farbe wie das Nomen.

Da steht ein freundlicher Mann. Ich sehe einen freundlichen Mann. Ich schenke einem
freundlichen Mann ein Lächeln. Ich helfe einem freundlichen Mann.

Da sitzt eine starke Frau. Ich besuche eine starke Frau. Ich gebe einer starken Frau meine
Telefonnummer. Ich höre einer starken Frau zu.

Da schwimmt ein kluges Kind. Ich rufe ein kluges Kind. Ich kaufe einem klugen Kind
Schokolade. Ich antworte einem klugen Kind.

b) Warum ändern sich die Adjektivendungen? Dabei helfen Ihnen diese Fragen:

Welchen Artikel hat das Nomen? Welche Farbe hat das Adjektiv, steht es im Nominativ, Akkusativ oder Dativ?

Ergänzen Sie die Regel.

Stehen Adjektive vor den Nomen, haben Sie eine Endung. Die Endung ist nicht immer gleich, sie ändert sich. Die Adjektivendungen sind abhängig von

1. dem _____ des Nomens
2. davon, wie viele Personen im Verbtheater dieses Satzes mitspielen; also davon, ob das Adjektiv im _____, _____ oder _____ steht.

Endungen ohne Ende

Übung 3 **a)** Setzen Sie die fehlenden Adjektivendungen ein. Die Texte aus Übung 2 helfen Ihnen dabei.

Nominativ

Da steht ...

der freundliche Mann
ein freundlich_____ Mann

die starke Frau
eine stark_____ Frau

das kluge Kind
ein klug_____ Kind

Plural (viele)

Da stehen ...
die freundlich**en** Männer/Frauen/Kinder
keine freundlich**en** Männer/Frauen/Kinder
– freundliche Männer/Frauen/Kinder

> Bei Nominativ und Akkusativ da wandert dann bei *ein* die der-die-das-Endung ans Adjektiv dran.

Akkusativ

Ich sehe ...

d**en** freundlich**en** Mann
einen freundlich_____ Mann

die starke Frau
eine stark_____ Frau

das kluge Kind
ein klug_____ Kind

Plural (viele)

die stark**en** Männer/Frauen/Kinder
keine stark**en** Männer/Frauen/Kinder
– starke Männer/Frauen/Kinder

> Nominativ und Akkusativ der, die, das – am Adjektiv: e, e, e, en, e, e

Dativ

Ich gebe das Buch …

dem freundlich**en** Mann
einem freundlich_____ Mann

der stark**en** Frau
einer stark_____ Frau

dem klug**en** Kind
einem klug_____ Kind

Plural (viele)

den klug**en** Männer**n**/Frauen/Kinder**n**
keinen klug**en** Männer**n**/Frauen/Kinder**n**
– klug**en** Männer**n**/Frauen/Kinder**n**

Dativ -en,
das ist ganz leicht,
schon haben wir es
fast erreicht.

Genitiv

Hier ist das Buch …

des freundlich**en** Mannes
eines freundlich**en** Mannes

der stark**en** Frau
einer stark**en** Frau

des klug**en** Kindes
eines klug**en** Kindes

Plural (viele)

Die Bücher …

der nett**en** Männer/Frauen/Kinder
keiner nett**en** Männer/Frauen/Kinder
nett**er** Männer/Frauen/Kinder

Da wäre noch der Genitiv
den nutzt man nicht so intensiv.
Doch zeigen wir es hier komplett.
Es ist ganz einfach: fast nur -en !
Ist das nicht nett?

Endungen ohne Ende

Übung 4 **a)** Welchen Artikel haben die Kleidungsstücke? Sammeln Sie an der Tafel und tragen Sie in die Tabelle ein.

der	die	das
Rock	Hose	Hemd

b) Was tragen die anderen Kursteilnehmer? Beschreiben Sie sich gegenseitig. Lassen Sie sich von Ihrer Kursleiterin / Ihrem Kursleiter korrigieren.

Übung 5 Markieren Sie die Satzteile im Text in den bekannten Farben. Überlegen Sie gemeinsam in Ihrer Gruppe, welchen Artikel die Nomen haben und überprüfen Sie diese mit dem Wörterbuch, wenn nötig. Setzen Sie dann die fehlenden Endungen ein. Übung 3 hilft Ihnen dabei.

Modenschau

Und hier sehen Sie unser Modell *Carolina:* Wir kombinieren ein_____ weit_____ Rock aus ein_____ besonder_____ Ökobaumwolle mit ein_____ leicht_____, geblümt_____ Bluse. Der breit_____ Gürtel betont die schlank_____ Taille. Die sommer-lich_____ Sandalen bekommen Sie in den Farben Weiß, Gelb und Grün. Der gelb_____ Strohhut mit ein_____ gepunktet_____ Band beschattet das Gesicht vorteilhaft.

Das Modell *Yvonne* ist etwas für die kühl_____ Tage: Die gestreift_____ Leinenhose ist unten weit und oben eng geschnitten. Wir kombinieren sie mit ein_____ weiß_____ Baumwollhemd. Der dunkelblau_____ Pullover passt gut dazu. Die sportlich_____ Schuhe und ein_____ rot_____ Windjacke geben dem Ganzen ein_____ besonder_____ Eleganz.

Und was trägt der modebewusst_____ Mann? Das neu_____ Modell *Jaques* lässt Männerherzen höher schlagen: Die knielang_____ Hose aus ein_____ leicht_____ Leinen-Seide-Gemisch ist weit und lässt viel Bewegungsfreiheit. Das eng_____ T-Shirt betont den sportlich_____ Oberkörper. Die blau_____ Leinenschuhe sind sehr bequem und unterstreichen das sportlich_____ Aussehen.

Übung 6   Veranstalten Sie eine eigene Modenschau: Bringen Sie zur nächsten Unterrichts-stunde Mützen, Hüte, Schals, Tücher, weite Röcke, Schmuck usw. mit. Arbeiten Sie zu zweit. Eine Person spielt das Model. Diese Person kleidet sich für den Laufsteg ein. Schreiben Sie zusammen einen Text, der die Kleidung des Models genau beschreibt. Achten Sie dabei besonders auf Artikel und Adjektivendungen. Wenn alle im Kurs fertig sind, kann die Modenschau losgehen: Das Model läuft auf dem Laufsteg hin und her und wird von ihrem Partner vorgestellt. Vielleicht haben Sie sogar eine passende Musik dazu?

Übung 7   Tanzen Sie den *Model-Tango*: Bewegen Sie sich alle frei im Raum zur Musik. Wenn die Musik plötzlich stoppt, suchen Sie sich so schnell wie möglich einen Partner oder eine Partnerin und stellen Sie sich Rücken an Rücken. Jetzt testen Sie Ihr Gedächtnis: Erzählen Sie Ihrem Partner oder Ihrer Partnerin, welche Kleidung er oder sie trägt und wie diese aussieht. Dann lassen Sie sich Ihre Kleidung beschreiben. Wenn die Musik wieder einsetzt, fängt der Tanz von vorne an. Bitten Sie Ihre Kursleiterin / Ihren Kursleiter, den Disc-Jockey zu spielen.

Übung 8   a) Nehmen Sie ein Foto oder ein Bild, das Ihnen besonders gut gefällt und schreiben Sie einen Text dazu: Was sehen Sie? Wie sehen die Dinge/Personen/Tiere aus? Benutzen Sie möglichst viele passende Adjektive.

   b) Setzen Sie sich an einen Platz in Ihrer Stadt, der Ihnen besonders gefällt. Wie sieht Ihre Umgebung aus? Mit welchen Adjektiven könnte man die Atmosphäre beschreiben? Wie ist das Wetter / der Verkehr, wie sind die Gebäude und die Menschen? Schreiben Sie eine Reportage über diesen Lieblingsort.

Übung 9 **a)** Lesen Sie den Steckbrief.

**Gesucht wird:
Jango Grammatico**

Ein sehr gefährlicher junger Mann, ca. 1,99 m groß, dünn und mit einer faltigen Stirn. Er hat ein blasses Gesicht mit vielen Pickeln und stark abstehende Ohren. Besondere Kennzeichen: Jango liest und schreibt ständig dicke Grammatikbücher und korrigiert immer alle. Achtung: Jango hat bereits mehrere Leute zu Nervenzusammenbrüchen getrieben. Hugo Mazerati, sein letztes Opfer, leidet noch immer an den Folgen: Er wirft schreiend mit Geschirr, wenn jemand das Wort Dativ benutzt. Wenn Sie Jango sehen, rufen Sie schnell Ihre örtliche Volkshochschule an. Belohnung: ein Esperanto-Wörterbuch

b) Entwerfen Sie in Ihrer Gruppe eigene Steckbriefe. Malen Sie auch ein Bild von dieser Person.

Übung 10 **a)** Lesen Sie den Anzeigentext.

Junger Mann mit großem Herzen und kleinem Bankkonto sucht **verständnisvolle Frau** mit dickem Bankkonto, guter Figur und schlankem Hals wegen Heirat; Zuschriften bitte unter Chiffre an diese Zeitung.

b) Markieren Sie die Satzteile mit den entsprechenden Farben. Achten Sie auf die Adjektivendungen – wie passen sie zu der Tabelle aus Übung 3?

> *Ergänzen Sie die Regel.*
> Bei Adjektiven ohne Artikel wandern die Endungen vom bestimmten Artikel
> (_____, _____, _____) hinten an das Adjektiv. Also: der Mann –
> junger Mann, mit dem Bankkonto – mit kleinem Bankkonto;

c) Setzen Sie die fehlenden Endungen ein.

Hübsch_____, fröhlich_____ Mädchen mit attraktiv_____ Sommersprossen sucht jung_____ Mann mit vielseitig_____ Interessen und gut_____ Humor zum Kennenlernen für angenehm_____ Bekanntschaft. Später_____ Heirat ist möglich.

d) Schreiben Sie in Paaren oder Gruppen eigene Heiratsanzeigen. Bilden Sie die Gruppen diesmal so, dass nur Männer und nur Frauen zusammenarbeiten.

Übung 11 **a)** Lesen Sie die Sätze. Was ist

– ein fliegender Vogel? Das ist ein Vogel, der gerade _____.
– ein brüllender Löwe? Das ist ein Löwe, der _____.
– ein galoppierendes Pferd? Das ist _____.
– eine laufende Katze? Das _____.
– Was sind schwimmende Fische? Das sind _____.

b) Wie nennt man

– einen Mann, der gerade lacht? Das ist ein lachend_____ Mann.
– eine Frau, die gerade reitet? Das ist eine reiten_____ Frau.
– Leute, die gerade spielen? Das sind _____.
– Wasser, das gerade kocht? _____.

> *Ergänzen Sie die Regel.*
> Man kann aus den meisten Verben Adjektive bilden. Um zu sagen, dass jemand
> gerade etwas macht, nimmt man das _____ im Infinitiv + _____
> + Adjektivendung. Ein Mädchen, das gerade lacht, ist also ein lachen+d+es Mäd-
> chen. Die Form *lachen*d nennt man Partizip I.

c) Bilden Sie eigene Beispiele. Was machen die Leute in Ihrem Kurs gerade? Was passiert gerade auf der Straße? Beginnen Sie mit *Ich sehe …*, *Ich höre …* Schreiben Sie Sätze.

Endungen ohne Ende 2

Wer hat die schönsten Schäfchen? – Komparation

Übung 1 Vergleichen Sie im Kurs. Stellen Sie sich nebeneinander und finden Sie heraus: Wer ist größer, wer am größten / kleiner, am kleinsten? Vergleichen Sie Alter, Schuhgröße, Rocklänge, Haarlänge usw. Vielleicht sind auch manche Leute gleich groß oder gleich alt: Wer ist genauso groß oder genauso alt wie Paul?

Übung 2 **a)** Lesen Sie die Sätze.

Das Schwein ist rund**er als** das Paket.
Das Paket ist eckig**er als** das Schwein.
Das Schwein ist größ**er als** das Paket.
Das Paket ist klein**er als** das Schwein.
Das Schwein schmeckt **besser als** das Paket.
Das Schwein läuft schnell**er als** das Paket.
Das Schwein ist ält**er als** das Paket.
Das Schwein stinkt **mehr als** das Paket.
Das Paket ist sauber**er als** das Schwein.
Das Paket ist handlich**er als** das Schwein.
Ich mag das Schwein **lieber als** das Paket.

> *Ergänzen Sie die Regel.*
> Wenn man zwei Nomen miteinander vergleicht und ihre Verschiedenheit ausdrücken will, bekommt das Adjektiv die Endung _____ . Das nennt man **Komparativ**. Man vergleicht mit dem Wort *als*. Bei einsilbigen Adjektiven ändert sich oft der Vokal, *a* wird zu _____ (*alt – älter als*), *o* wird zu _____ (*groß – größer als*) und *u* wird zu _____ (*jung – jünger als*).
>
> Ausnahmen: Ausnahmen in der Schreibung:
> *gut* wird zu _____   sauer – saurer als
> *viel* wird zu _____   dunkel – dunkler als
> *gern* wird zu _____   teuer – teurer als
>   hoch – höher als

b) Finden Sie ein verrücktes Traumpaar, z. B. Marylin Monroe und Einstein. Warum ergänzen sich die beiden Ihrer Meinung nach gut? Beispielsweise ist Marylin Monroe viel blonder als Einstein, oder Einstein ist viel intelligenter als Marylin Monroe. Schreiben Sie innerhalb von zehn Minuten so viele Vergleichssätze wie möglich. Stellen Sie anschließend Ihr Traumpaar im Kurs vor.

Übung 3 **a)** Lesen Sie die Sätze.

Der Hund ist schnell.

Das Auto ist schnel**l**er.

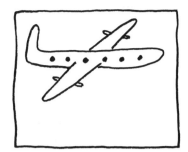

Das Flugzeug ist **am** schnell**sten**.

Der Hund bellt laut.

Friedas Musik ist laut**er**.

Die Kinder singen **am** laut**esten**.

Ergänzen Sie die Regel.

Die letzte Stufe der Steigerung (Komparation) ist der Superlativ. Das Adjektiv bekommt die Endung _____ oder _____ .

Ausnahmen:

gut – besser – am _____
viel – mehr – am _____
gern – lieber – am _____

groß – größer – am größten
Adjektive, die auf *s* oder *ß* enden, haben im Superlativ die Endung _____ .

kurz – kürzer – am kürzesten
alt – älter – am ältesten
Adjektive, die auf *z* oder *t* enden, haben im Superlativ die Endung _____ .

Ausnahmen in der Schreibung:
hoch – höher – am höchsten
nah – näher – am nächsten

b) Zeichnen Sie Bilderfolgen wie in den Beispielen oben, schreiben Sie aber nichts dazu. Zeigen Sie die Bilder Ihrem Nachbarn und lassen Sie ihn den Text dazu schreiben. Hängen Sie die Bilder und Texte im Raum aus.

Übung 4 **a)** Lesen Sie den Text.

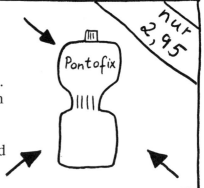

Pontofix

Für eine sauberere Wohnung empfehlen wir Ihnen das
bessere Putzmittel: Pontofix! Es hat den sparsamsten
Verbrauch und genügt den hygienischsten Ansprüchen.
Mit dem feinsten Lavendelduft befriedigt Pontofix auch
die empfindlichere Nase. Da brauchen wir kein mühsa-
mes Schrubben mehr – mit Pontofix verschwinden die
hartnäckigsten Flecken im Nu! Kaufen Sie Pontofix, und
wir machen einen zufriedeneren Menschen aus Ihnen.

b) Unterstreichen Sie die Adjektive. Welche Adjektive sind Komparative (*-er*), welche
Adjektive sind Superlative (*-(e)sten*)?

c) Markieren Sie die Satzteile mit den entsprechenden Farben.

d) Vergleichen Sie jetzt die Endungen der Adjektive. Warum ändern sie sich?

Ergänzen Sie die Regel.
Wenn Adjektive im Komparativ oder im Superlativ vor dem Nomen stehen, bekom-
men sie nach der Komparativendung (*-er*) oder der Superlativendung (*-(e)st*) noch
eine _____ endung:
Er ist der schön+er+e Mann.
Nein, ich sehe einen schön+er+en Mann.
Sie ist die elegant+est+e Frau auf der Welt.
Das schön+st+e Kleid ist schon verkauft.

Übung 5 Schreiben Sie einen Werbetext wie in Übung 5.

Übung 6 Organisieren Sie ein Quiz im Kurs.
Teilen Sie den Kurs in Gruppen von drei oder vier Personen. Jede Gruppe überlegt sich
fünf bis zehn Quizfragen mit Superlativ:
Wo finden Sie den höchsten Berg auf der Welt?
Wo ist die tiefste Stelle der Erde?
Wie heißt … ? Wie schnell ist … ?
Eine Gruppe beginnt mit der ersten Frage. Die nächste Gruppe hat eine Minute (oder
eine halbe Minute) Zeit zum Antworten. Findet sie die Antwort nicht oder ist die
Antwort falsch, geht die Frage weiter an die nächste Gruppe. Für jede richtige Antwort
gibt es einen Punkt. Bleibt die Frage unbeantwortet, geht der Punkt an die Gruppe, die
sie gestellt hat. Gefragt wird abwechselnd und reihum. Bei Fragen nach Zahlen geben
alle Gruppen Schätzwerte an, und die Gruppe, die der Zahl am nächsten kommt, erhält
den Punkt. Hilfsmittel (Lexikon, Guiness Buch der Rekorde) sind nur beim Ausarbeiten
der Fragen erlaubt.

Satzschlangen sind harmlos 1

Ein Anschluss unter dieser Nummer: Konnektoren

Übung 1 **a)** Lesen Sie die Ausdrücke. Kennen Sie alle Wörter? Welche Wörter finden Sie auf dem Bild wieder? Schreiben Sie diese in das Bild.

> • Kind • Zimmer aufräumen • keine Lust • Mutter • draußen spielen •
> Sonntag • schönes Wetter • Eltern schlafen lange • barfuß spazieren gehen •
> Igel • Stachel • Schmerz • angucken • nachdenken • weglaufen •

b) Überlegen Sie in Ihrer Gruppe, wie aus diesen Ausdrücken eine Geschichte entstehen könnte, aber schreiben Sie nichts auf. Erzählen Sie dann den anderen Gruppen Ihre Geschichte.

Übung 2 **a)** Lesen Sie den Text. Klären Sie unbekannte Wörter im Kurs.

Begegnung früh morgens

1 Als ich ein Kind war, musste ich immer mein Zimmer aufräumen. Obwohl ich gar keine Lust dazu hatte, tat ich es – meine Mutter war in diesem Punkt sehr
5 streng. Ich hatte ein großes Zimmer und viele Spielsachen, denn meine Eltern hatten viele Geschwister. Darum hatte ich viele Onkel und Tanten. Ich war ein Einzelkind, und so bekam ich sehr viele
10 Spielsachen. Wenn meine Freunde und Freundinnen mich besuchten, spielten wir immer schöne, wilde Spiele in meinem großen Zimmer. Wenn ich allein war, spielte ich lieber draußen, denn da
15 musste ich nachher nicht immer den ganzen Kram aufräumen; außerdem war ich gern an der frischen Luft.
So war es auch an diesem Sonntag.
Es war noch ziemlich früh, und ich lief
20 schnell nach draußen, damit ich ungestört spielen konnte, bevor meine Eltern aufstanden. Ich wollte meine Eltern nicht stören, weil sie so gerne länger schliefen. Also ging ich hinaus auf die
25 Wiese und lief barfuß durch das Gras. Es war noch feucht, da es geregnet hatte. Trotzdem war es bereits wieder angenehm warm. Obwohl meine Füße und das Nachthemd schon ganz nass waren,
30 fühlte ich mich wohl und war zufrieden.

Die Luft war klar, der Himmel war strahlend blau, deswegen lief ich immer weiter und achtete nicht auf den Weg. Plötzlich fühlte ich einen scharfen Schmerz
35 im Fuß und sprang schnell zurück. Was war das? Ich bemerkte, dass ich auf eine stachelige Kugel getreten war, aus der mich jetzt, nachdem ich mich etwas entfernt hatte, zwei Knopfaugen vorwurfs-
40 voll anschauten. Sekunden später waren die Augen wieder in der Stachelkugel verschwunden.
Erstaunt und erfreut ging ich in die Hocke, denn ich wollte sehen, ob mein
45 neuer Bekannter unverletzt geblieben war – schließlich war ich beinahe auf ihn getreten. Der Schmerz im Fuß ließ sofort nach, nachdem ich eine kleine Stachelspitze herausgezogen hatte. Ich wollte
50 gerne wissen, woher der Igel wohl gekommen war, wie alt er war und was er in unserem Garten zu suchen hatte. Ob ich meinen Eltern von ihm erzählen sollte? Sollte ich ihn vielleicht in mein
55 aufgeräumtes Zimmer mitnehmen? Er würde dort sicher alles durcheinander bringen! Während ich noch nachdachte, war die kleine Stachelkugel schon weggelaufen. Und ich hatte es noch nicht ein-
60 mal bemerkt. Ob der Kleine wohl auch zu Hause aufräumen musste?

b) Markieren Sie alle Verben im Text mit Rot. Wo stehen sie im Satz?

c) Suchen Sie im Text die Konnektoren (Verbindungswörter) – sie stehen nach einem Komma oder am Satzanfang. Umkreisen Sie jeden Konnektor mit Bleistift.

Übung 3 **a)** Betrachten Sie die Satzschlangen. Malen Sie die Schlangenköpfe (die Verben) rot an.

b) Zwischen den Konnektoren und der Verbstellung gibt es einen Zusammenhang. Tragen Sie die Konnektoren aus dem Text in das jeweils passende Satzschlangen-Schema ein.

Hauptsatz, Verb Platz 2   **Hauptsatz, Verb Platz 2**

Ich (mag) schlangen auch,   sie (sind) schön und elegant.

Konnektor

denn

oder
doch
aber

Hauptsatz, Verb Platz 2   **Konnektor Platz 1**   **Verb Platz 2**

Sie (sind) manchmal ängstlich,   darum (passe) ich sehr (auf.)

deshalb
dann
danach

Hauptsatz, Verb Platz 2   **Konnektor**   **Nebensatz, Verb Ende**

Er (mag) Schlangen sehr, weil sie klug (sind.)

umgestellter Hauptsatz, Verb Platz 1

weil sie klug (sind,) (mag) er Schlangen sehr.

69

Satzschlangen sind harmlos

Übung 4   In den Sätzen gibt es für jede Satzlücke drei Einsetzmöglichkeiten. Nur eine davon ist richtig. Umkreisen Sie den Konnektor und unterstreichen Sie die Verben mit Rot. Schauen Sie dann bei den Satzschlangen nach, welche Möglichkeit passt und kreuzen Sie diese an.

1. Das Kind geht spazieren, weil ...
   - a) das Wetter ist schön.
   - b) das Wetter schön ist.
   - c) ist das Wetter schön.

2. Sie soll aufräumen, aber ...
   - a) sie hat keine Lust.
   - b) hat sie keine Lust.
   - c) sie keine Lust hat.

3. Die Eltern schlafen noch, deswegen ...
   - a) sie für sich alleine Zeit hat.
   - b) sie hat für sich alleine Zeit.
   - c) hat sie für sich alleine Zeit.

4. Wenn du barfuß auf einer Wiese herumläufst, ...
   - a) kannst du auf einen Igel treten.
   - b) du kannst auf einen Igel treten.
   - c) du auf einen Igel treten kannst.

5 Obwohl ..., überlegt sie.
   - a) mitnehmen sie möchte den Igel
   - b) sie mitnehmen möchte den Igel
   - c) sie den Igel mitnehmen möchte

6. Weißt du, wie viel ...
   - a) ein Igel ungefähr wiegt?
   - b) wiegt ein Igel ungefähr?
   - c) ein Igel wiegt ungefähr?

7. Sie hat einen Stachel im Fuß, darum ...
   - a) hat sie Schmerzen.
   - b) sie Schmerzen hat.
   - c) Schmerzen sie hat.

8. Das Mädchen ging allein nach Hause, da ...
   - a) weggelaufen war der Igel.
   - b) war der Igel weggelaufen.
   - c) der Igel weggelaufen war.

9. Als ..., waren die Eltern schon wach.
   - a) sie kam nach Hause
   - b) sie nach Hause kam
   - c) kam sie nach Hause

10. Ich weiß nicht, ob ...
   - a) Igel mag jetzt ich noch.
   - b) mag ich Igel jetzt noch.
   - c) ich Igel jetzt noch mag.

Ergänzen Sie die Regel.

Wir haben gerade _____ Arten von Satzkonnektoren kennen gelernt:

1. Konnektoren, die zwei Hauptsätze verbinden. Jeder Hauptsatz kann auch für sich alleine stehen. Dort steht das Verb auf Platz _____.

2. Konnektoren, die einen Hauptsatz mit einem umgestellten Hauptsatz verbinden. Der umgestellte Hauptsatz kann nicht alleine stehen. Der Konnektor steht auf Platz _____, das Verb vom umgestellten Hauptsatz auf Platz _____.

3. Konnektoren, die einen Hauptsatz mit einem Nebensatz verbinden. Ein Nebensatz kann isoliert nicht alleine stehen. Sein Verb steht am _____ des Satzes. Kommt der Nebensatz zuerst, wird der folgende Hauptsatz umgestellt. Sein Verb steht dann auf Platz _____.

Übung 5 **Satzbaumaschine**

Organisieren Sie die Satzbaumaschine 1 (→ Aktivitätenbox S. 6). Arbeiten Sie mit eigenen Sätzen (pro Gruppe fünf), und zwar jeweils mit Haupt- und/oder Nebensätzen. Die Konnektoren bleiben farblos, kommen also auf ein weißes Blatt Papier. Mischen Sie jeweils die Satzteile eines Satzes und legen Sie alle Konnektoren in die Mitte des Raumes. Wenn alle Gruppen mit dieser Vorbereitung fertig sind, tauschen Sie die konnektorenlosen *Satzsalate* untereinander aus. Jetzt führt jeweils eine Gruppe Regie bei der Aufstellung eines Satzes und dem Einsetzen eines passenden Konnektors. Oft gibt es verschiedene korrekte Möglichkeiten – probieren Sie diese durch. Vergessen Sie auch nicht das Komma – eine Person kann einen Stift in der Hand halten und sich damit als Komma jeweils an den richtigen Platz stellen.

Übung 6 Setzen Sie die fehlenden Konnektoren ein. Kontrollieren Sie Ihre Version dann anhand des Textes aus Übung 2. Manchmal gibt es mehrere richtige Lösungen – vergleichen Sie im Kurs.

Begegnung früh morgens

1 _____ ich ein Kind war, musste ich immer mein Zimmer aufräumen. _____ ich gar keine Lust dazu hatte, tat ich es – meine Mutter war in diesem Punkt sehr streng.
5 Ich hatte ein großes Zimmer und viele Spielsachen, _____ meine Eltern hatten viele Geschwister. _____ hatte ich viele Onkel
10 und Tanten. Ich war ein Einzelkind, _____ so bekam ich sehr viele Spielsachen. _____ meine Freunde und Freundinnen mich besuchten, spielten wir immer schöne, wilde

15 Spiele in meinem großen Zimmer. _____ ich allein war, spielte ich lieber draußen, _____ da musste ich nachher nicht immer den ganzen Kram aufräumen;
20 _____ war ich lieber an der frischen Luft. So war es auch an diesem Sonntag. Es war noch ziemlich früh, _____ ich lief schnell nach
25 draußen, _____ ich ungestört spielen konnte, _____ meine Eltern aufstanden. Ich wollte meine Eltern nicht stören, _____ sie so gerne länger schliefen.

71

30 _____ ging ich hinaus auf die
Wiese und lief barfuß durch das Gras.
Es war noch feucht, _____ es
geregnet hatte. _____ war es
bereits wieder angenehm warm.
35 _____ meine Füße und das
Nachthemd schon ganz nass waren,
fühlte ich mich wohl und war zufrieden.
Die Luft war klar, der Himmel war strahlend blau, _____ lief ich
40 immer weiter und achtete nicht auf den
Weg. Plötzlich fühlte ich einen scharfen
Schmerz im Fuß und sprang schnell zurück. Was war das? Ich bemerkte,
_____ ich auf eine stachelige
45 Kugel getreten war, aus der mich jetzt,
_____ ich mich etwas entfernt
hatte, zwei Knopfaugen vorwurfsvoll
anschauten. Sekunden später waren die
Augen wieder in der Stachelkugel ver-
50 schwunden.
Erstaunt und erfreut ging ich in die

Hocke, _____ ich wollte
sehen, _____ mein neuer
Bekannter unverletzt geblieben war –
55 _____ war ich beinahe auf ihn
getreten. Der Schmerz im Fuß ließ sofort
nach, _____ ich eine kleine
Stachelspitze herausgezogen hatte. Ich
wollte gerne wissen, _____
60 der Igel wohl gekommen war,
_____ alt er war und
_____ er in unserem Garten
zu suchen hatte. _____ ich
meinen Eltern von ihm erzählen sollte?
65 Sollte ich ihn vielleicht in mein aufgeräumtes Zimmer mitnehmen? Er würde
dort sicher alles durcheinander bringen!
_____ ich noch nachdachte,
war die kleine Stachelkugel schon weg-
70 gelaufen. _____ ich hatte es
noch nicht einmal bemerkt.
_____ der Kleine wohl auch
zu Hause aufräumen musste?

Übung 7 a) Sehen Sie sich die Konnektoren noch einmal an. Einige haben die gleiche Bedeutung, auch wenn sie möglicherweise mit verschiedenen Satztypen benutzt werden.
Sammeln Sie nach drei Bedeutungsgruppen.

1. warum – darum	2. plus – minus (Gegensätze)	3. Ausdrücke der Zeitenfolge
weil	obwohl	als
denn	aber	dann

b) Markieren Sie bei jedem Konnektor die Verbstellung mit roter Farbe – benutzen Sie
die Beispiele als Modell.

Satzschlangen sind harmlos 2

Da muss man echt versuchen Schritt zu halten: Infinitivsätze

Übung 1 Was sehen Sie auf den Bildern? Setzen Sie die fehlenden Wörter ein.

Frieda Gala kann einfach alles.

Sie kann _____ , _____ , _____ ,

_____ , _____ und sehr gut _____ .

Satzschlangen sind harmlos

Heute ist Freitag, und Frieda hat sehr viel vor.

Um 15.00 Uhr hat sie vor eine Stunde zu ——————————

Um 18.00 hat sie vor _____ _____

Um 20.00 hat sie vor einen Malkurs

_____ _____

Nach dem Malkurs hat sie vor Spagetti

_____ _____

> ***Ergänzen Sie die Regel.***
> Modalverben stehen meistens mit einem 2. Verb zusammen in einem Satz:
> Frieda kann _____.
> Wenn das konjugierte Verb im Satz kein Modalverb ist, steht das 2. Verb oft im
> Infinitiv mit *zu*:
> Frieda hat vor _____ malen.

Übung 2 Infinitiv mit *zu* kommt oft nach bestimmten feststehenden Ausdrücken. Ergänzen Sie
die Ausdrücke. Benutzen Sie den Infinitiv mit *zu*.

Sie hat Lust _____

Er hat Angst _____

Sie hat vor _____

Er versucht _____

Er hört auf _____

Sie verbietet mir _____

Er hat gelernt _____

Es macht ihm Spaß, _____

Sie hat Probleme, _____

Er hilft mir, _____

Es ist wichtig (langweilig, schwer, interessant ...), _____

_____

Übung 3 **a)** Welche Pläne haben Sie für Ihre direkte Zukunft? Schreiben Sie fünf davon auf.

1. Ich plane, dass ich im Sommer in Urlaub fahre.
2. Ich plane, dass mein Hund eine neue Hundehütte bekommt.

_____

_____

_____

_____

_____

b) Schauen Sie sich die Beispielsätze in a) noch einmal an. Markieren Sie die Subjekte farbig. Im ersten Beispielsatz ist das Subjekt im Haupt- und im Nebensatz _____. Im zweiten Beispielsatz ist das Subjekt im Hauptsatz _____ und im Nebensatz _____. Nur den ersten Beispielsatz kann man auch anders sagen: Ich plane, im Sommer in Urlaub zu fahren.

Ergänzen Sie die Regel.
Wenn bei einem Ausdruck, der oft mit dem Infinitiv mit *zu* benutzt wird, die Subjekte in Haupt- und Nebensatz _____ sind, wird dieser Ausdruck nicht mit dem Infinitiv mit *zu* benutzt, sondern mit einem _____-Satz.

Übung 4 **a)** Was ist Ihr Ziel? Wozu lernen Sie weiter Deutsch?
Schreiben Sie fünf Sätze mit *damit*.

1. Ich lerne weiter Deutsch, damit ich bessere Chancen im Beruf habe.
2. Ich lerne weiter Deutsch, damit die anderen mich nicht immer korrigieren.

_____

_____

_____

_____

_____

b) Schauen Sie sich die Beispielsätze in a) noch einmal an. Markieren Sie die Subjekte farbig. Im ersten Beispielsatz ist das Subjekt im Haupt- und im Nebensatz _____. Im zweiten Beispielsatz ist das Subjekt im Hauptsatz _____ und im Nebensatz _____. Den ersten Beispielsatz kann man auch anders sagen: Ich lerne weiter Deutsch, *um* bessere Chancen im Beruf *zu* haben.

> *Ergänzen Sie die Regel.*
> Will man ausdrücken, mit welchem Ziel man etwas macht, kann man den Konnektor ——————— mit einem Nebensatz benutzen. Haben Haupt- und Nebensatz dasselbe ———————, kann man den Satz auch mit *um ... zu* + Infinitiv ausdrücken.

c) Formen Sie Ihre *damit*-Sätze aus dem Übungsteil a) in Sätze mit *um ... zu* + Infinitiv um, soweit das möglich ist.

Übung 5 Überlegen Sie sich fünf *wozu*-Fragen. Schreiben Sie jede Frage auf einen kleinen Zettel, und lassen Sie Platz für eine Antwort. Geben Sie fünf Kurskolleginnen und -kollegen jeweils eine dieser Fragen. Jede/Jeder schreibt einen (oder mehrere) *um ... zu*-Sätze mit Infinitiv oder *damit*-Sätze als Antwort und gibt die Briefe zurück. Die interessantesten oder lustigsten Fragen und Antworten können im Kurs vorgelesen werden.

Satzschlangen sind harmlos 3

Die Sätze, die beim Nomen stehen: Relativsätze

Übung 1 Malen Sie das Bild und die Satzteile in den bekannten Farben an.

Hier sieht man Frieda. Frieda tanzt gerade.

Das Subjekt *Frieda* erscheint zweimal. Der zweite Satz beschreibt, was Frieda gerade tut – er gibt eine Extrainformation zu Frieda. Man kann die zwei Sätze zu einem Satz verkürzen:

Hier sieht man Frieda., Frieda tanzt gerade. *die*
= Hier sieht man Frieda, die gerade tanzt.

Übung 2 **a)** Malen Sie das Bild und die Satzteile in den bekannten Farben an.

1. Hier sieht man Willi. Willi kocht gerade das Essen.
2. Hier sieht man das Essen. Willi kocht das Essen gerade.

Im ersten Satzpaar erscheint Willi zweimal. Der zweite Satz beschreibt, was Willi gerade tut – er gibt eine Extrainformation zu Willi. Man kann auch hier die zwei Sätze verkürzen, indem man sie zusammenzieht:

der

Hier sieht man Willi., Willi kocht gerade das Essen.
= Hier sieht man Willi, der gerade das Essen kocht.

b) Welches Wort erscheint im Satzpaar 2 zweimal? Streichen Sie es aus. Stellen Sie das Verb im zweiten Satz ans Ende. Ersetzen Sie den Punkt zwischen den beiden Sätzen durch ein Komma. Stellen Sie *das* (von *das Essen*) hinter das Komma. Der Satz heißt jetzt:
Hier sieht man das Essen, _____ Willi gerade _____.

> ***Ergänzen Sie die Regel.***
> Relativsätze geben oft eine Extra_____ über ein Nomen im Hauptsatz.
> Der Relativsatz steht nach diesem Nomen. Relativsätze sind Nebensätze, das konjugierte Verb steht im Relativsatz am _____.

Übung 3 **a)** Malen Sie das Bild und die Satzteile in den bekannten Farben an.

1. Da sitzt die Großmutter. Die Großmutter liest den Kindern ein Märchen vor.
2. Ich höre das Märchen. Die Großmutter liest den Kindern das Märchen vor.
3. Ich sehe die Kinder. Die Großmutter liest den Kindern ein Märchen vor.

b) Ergänzen Sie die Sätze.

    1. Da sitzt die Großmutter, _____ den Kindern ein Märchen _____.

    2. Ich höre das Märchen, _____ die Großmutter den Kindern _____.

    3. Ich sehe die Kinder, denen _____ ein Märchen _____.

> **Ergänzen Sie die Regel.**
> Relativsätze beginnen mit einem Relativpronomen. Das Relativpronomen sieht
> meistens aus wie der bestimmte _____. Eine Ausnahme ist der Dativ
> Plural. Das Relativpronomen ist abhängig vom _____ des Wortes im
> Hauptsatz, das der Relativsatz beschreibt und vom _____theater im
> Nebensatz.

Übung 4 **a)** Nehmen Sie einen Zettel und einen Stift zur Hand und suchen Sie in der Klasse, auf
dem Korridor oder auf der Straße Menschen und Dinge und beschreiben Sie sie.
(Beispiel: Ich sehe einen Mann. Der Mann führt einen großen Hund an der Leine.)

Malen Sie die Satzteile im Kursraum in den bekannten Farben an und tauschen Sie
dann Ihre Sätze mit einem Partner oder einer Partnerin aus. Bilden Sie dann Relativsätze wie in den Übungen 1–3. (Beispiel: Ich habe einen Mann gesehen, der einen
großen Hund an der Leine geführt hat.)

Diskutieren Sie anschließend Problemfälle im Kurs. Wann beginnt der Relativsatz
mit *der*, *die* oder *das*? Wann beginnt er mit *den* oder mit *denen*?

b) Tragen Sie die Relativpronomen in die Tabelle ein.

Relativpronomen

Nominativ	Akkusativ	Dativ
der	_____	_____
_____	die	_____
_____	_____	dem
Plural die	_____	_____

Übung 5 **a)** Lesen Sie die Sätze.

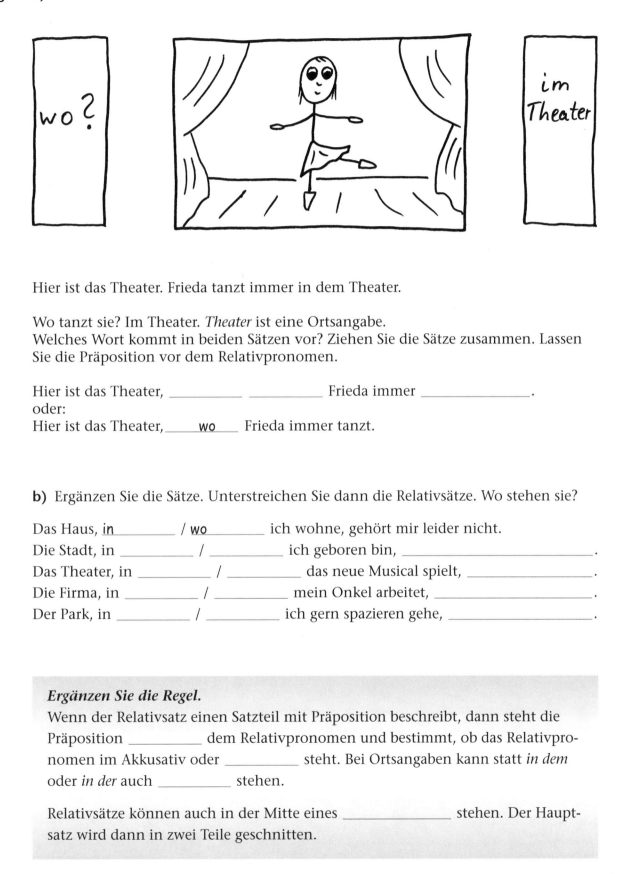

Hier ist das Theater. Frieda tanzt immer in dem Theater.

Wo tanzt sie? Im Theater. *Theater* ist eine Ortsangabe.
Welches Wort kommt in beiden Sätzen vor? Ziehen Sie die Sätze zusammen. Lassen
Sie die Präposition vor dem Relativpronomen.

Hier ist das Theater, _____ _____ Frieda immer _____.
oder:
Hier ist das Theater,____**wo**____ Frieda immer tanzt.

b) Ergänzen Sie die Sätze. Unterstreichen Sie dann die Relativsätze. Wo stehen sie?

Das Haus, <u>in</u>_____ / <u>wo</u>_____ ich wohne, gehört mir leider nicht.

Die Stadt, in _____ / _____ ich geboren bin, _____.

Das Theater, in _____ / _____ das neue Musical spielt, _____.

Die Firma, in _____ / _____ mein Onkel arbeitet, _____.

Der Park, in _____ / _____ ich gern spazieren gehe, _____.

Ergänzen Sie die Regel.
Wenn der Relativsatz einen Satzteil mit Präposition beschreibt, dann steht die
Präposition _____ dem Relativpronomen und bestimmt, ob das Relativpronomen im Akkusativ oder _____ steht. Bei Ortsangaben kann statt *in dem*
oder *in der* auch _____ stehen.

Relativsätze können auch in der Mitte eines _____ stehen. Der Hauptsatz wird dann in zwei Teile geschnitten.

Satzschlangen sind harmlos

Übung 6 Beschreiben Sie die Gegenstände mit Relativsatz.

1. Der Stuhl, _____ _____ ich sitze, ist _____.
2. Die Stadt, _____ _____ wir wohnen, hat _____ Einwohner.
3. Der Kurs, _____ _____ wir Deutsch lernen, ist _____.
4. Eine Waschmaschine ist eine Maschine, _____ _____ wir _____ waschen können.
5. Ein Telefonbuch ist ein Buch, _____ _____ wir viele _____ finden können.

Übung 7 Sammeln Sie in Ihrer Gruppe zehn zusammengesetzte Nomen, z. B. *Fußballmannschaft.* Geben Sie diese Nomen an die nächste Gruppe weiter. Lassen Sie die andere Gruppe Definitionen zu diesem Wort schreiben, z. B. *Eine Fußballmannschaft ist eine Mannschaft, die zusammen Fußball spielt.* Lassen Sie sich die Definition vorlesen und kontrollieren Sie, ob sie stimmt.

Übung 8 Setzen Sie in den folgenden Sätzen die Relativpronomen und, wenn nötig, auch die Präpositionen ein.

1. Der Bundeskanzler, _____ gestern aus der Volksrepublik China zurückkam, gab sofort ein Presseinterview.
2. Hast du noch das Buch, _____ ich dir geliehen habe?
3. Die Firma, _____ wir gestern schriftlich geantwortet haben, hat sich heute wieder gemeldet.
4. Die Stadt, _____ _____ wir wohnen, hat einen besonders schönen Park.
5. Das Land, _____ _____ ich komme, fehlt mir manchmal.

Keine Zeit!

Willkommen in der Zeitfamilie. Jede Person in dieser Familie hat ihre persönliche Aufgabe in Vergangenheit, Gegenwart und Zukunft: gestern, heute und morgen. Wir möchten Ihnen jetzt die Familienmitglieder vorstellen.

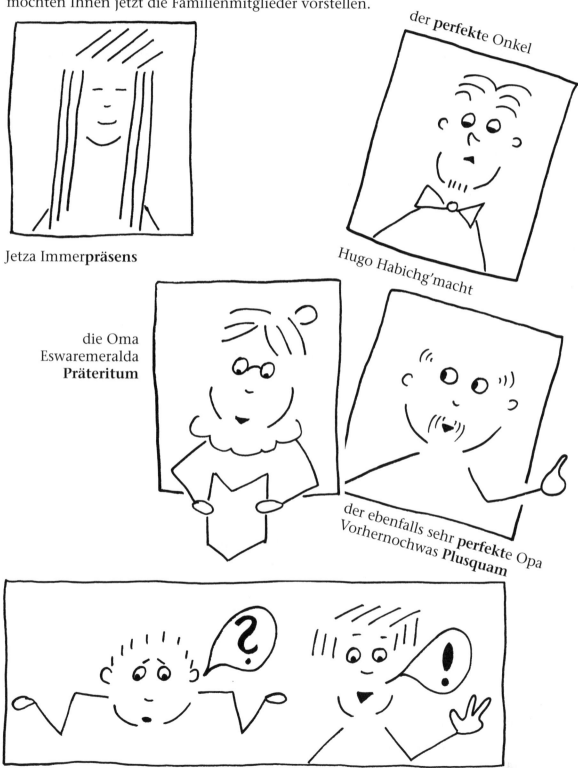

der **perfekt**e Onkel

Jetza Immer**präsens**

Hugo Habichg'macht

die Oma Eswaremeralda **Präteritum**

der ebenfalls sehr **perfekt**e Opa Vorhernochwas **Plusquam**

die Geschwister Vielleichto und Morgana **Futur**o

Keine Zeit 1

Von gestern und heute: Präsens und Perfekt

Übung 1 **a)** Lesen Sie den Brief.

> Liebe Jetza, lieber Onkel Hugo,
>
> ich schreibe euch aus Pisa. Ich bin also jetzt an
> einem Ort, an dem Hugo schon oft gewesen ist und
> von dem er mir schon viel erzählt hat. Das hilft
> mir jetzt, mich hier zu orientieren. Vorgestern
> bin ich angekommen und habe mir erstmal die Stadt
> angesehen. Onkel Hugo hat wirklich nicht zu viel
> versprochen! Jetza, es ist schade, dass du nicht
> hier bist! Ich bin sicher, Pisa ist eine Stadt
> nach deinem Geschmack.
> Gestern war ich beim schiefen Turm. Er sieht
> wirklich genauso aus, wie er heißt.
> Hinaufsteigen wollte ich eigentlich auch, aber
> ich habe mich dann doch anders entschieden - es
> war einfach zu heiß. Statt dessen habe ich mich
> in ein Café gesetzt und ein großes Eis gegessen.
> Ein Urlaub ist doch zur Erholung da!
> Ich habe hier ein paar sehr nette Leute kennen
> gelernt und verbringe viel Zeit mit ihnen. Morgen
> fahren wir zusammen nach Lucca. Ich habe gehört,
> dass es dort eine sehr schöne Altstadt und eine
> gut erhaltene Stadtmauer gibt. Am letzten Wochen-
> ende habe ich viel gebadet, ich bin im Meer ganz
> weit rausgeschwommen - es war herrlich.
> So, ich muss jetzt Schluss machen, denn ich habe
> mich mit meinen Freunden verabredet; wir wollen
> zusammen essen gehen. Macht's gut, ihr zwei und
> bis bald.
>
> Euer Willi

b) Unterstreichen Sie alle Verben im Text und ergänzen Sie die Tabelle. Beschreiben Sie die Unterschiede zwischen den Verbformen von Gegenwart und Vergangenheit.

Was passiert jetzt? – Gegenwart

ich schreibe
das hilft

_____

_____

_____

_____

_____

_____

_____

Was ist gestern passiert? – Vergangenheit

Hugo ist gewesen
er hat erzählt
ich war

_____

_____

_____

_____

_____

_____

_____

_____

Ergänzen Sie die Regel.
Das Perfekt, eine Verbform der Vergangenheit, hat _____ Teile. Man bildet es mit
dem Hilfsverb *haben* oder _____ und einer zweiten Verbform, die meistens mit
einem *ge-* anfängt, dem Partizip II. Ausnahmen: Modalverben (*wollen, müssen, …*)
und Hilfsverben (*haben/sein*). Bei diesen Verben benutzt man oft das Präteritum
anstelle vom Perfekt (*wollte, musste, hatte, war*).

Übung 2 Und nun möchten wir Sie mit den beiden Personen bekannt machen, an die Willi diesen Brief geschrieben hat.

a) Lesen Sie den Text und unterstreichen Sie die Verben.

Jetza Immer**präsens**
Jetza macht viele Meditationskurse und weiß, am besten lebt sie ganz im Hier und Jetzt. Sie macht immer nur eine Sache zu einer Zeit: Wenn sie gerade liest, liest sie, wenn sie gerade singt, singt sie, und wenn sie gerade tanzt, tanzt sie. Nichts kann sie dabei stören. Und wenn sie an morgen denkt, dann tut sie auch das ganz konzentriert – und dabei wird das Morgen ihr zum Jetzt: „Morgen gehe ich ins Kino", sagt sie und „Nächstes Jahr fahre ich nach Italien". Jetza liebt allgemein gültige Wahrheiten, ihre Lieblingssprüche sind: „Wir treffen uns wieder, denn die Erde ist rund" und „Der Weg ist das Ziel".

Ergänzen Sie die Regel.

Das Präsens wird benutzt, wenn man über Dinge spricht,

a) die _____ (in der Gegenwart) passieren,

b) die _____ (in der Zukunft) passieren,

c) die immer richtig, also _____ sind.

Will man sagen, dass man etwas in diesem bestimmten Moment tut, benutzt man oft das Wort _____.

b) Lesen Sie den Text und unterstreichen Sie die Verben.

Der **perfekt**e Onkel Hugo Habichg'macht
Er ist lieb, aber ein bisschen nervig. Alles hat er schon gemacht und er erzählt allen Leuten pausenlos davon: „Nach Italien bin ich schon fünf Mal gefahren und da habe ich dann wirklich alles gesehen. Den neuen Film habe ich natürlich auch schon gesehen, aber da konnte ich nichts Aufregendes entdecken. Das war alles schon einmal da. Heute bin ich sehr früh aufgewacht; ich habe auch schon eingekauft und natürlich habe ich nichts vergessen." In seinen Gedanken hat er auch schon alles Zukünftige hinter sich gebracht: „Im nächsten Juli bin ich dann zum sechsten Mal in Italien gewesen, aber nur um meiner Frau alles zu zeigen."

Keine Zeit!

Ergänzen Sie die Regel.

Das Perfekt benutzt man, wenn man von etwas spricht, was in der _____ passiert ist. (Ein persönlicher Brief ist Reden auf dem Papier, also geschriebenes Sprechen). Das Perfekt bildet man mit _____ oder _____ und dem _____ (→ Regel zu 1b). Beim Perfekt stehen die Verben an Platz _____ und am _____ vom Satz, sie bilden also eine Klammer um den Satz. Das nennt man _____.

Man benutzt das Perfekt mit einer Zeitangabe zusammen (*nächstes Jahr, im nächsten Monat,* usw.) auch, wenn man über etwas spricht, was in der Zukunft schon abgeschlossen ist:

Im nächsten Jahr bin ich dann zum sechsten Mal in Italien gewesen.

Übung 3   **a)** Schreiben Sie zu den angegebenen Perfektformen das Präsens.

er geht _____ er ist gegangen	_____ er hat gelogen
_____ er hat gegessen	_____ er hat gespült
_____ er ist gefahren	_____ er hat erklärt
_____ er hat eingekauft	_____ er ist gewandert
_____ er hat geschlafen	_____ er hat verstanden
_____ er hat geschrieben	_____ er hat gefunden
_____ er hat gekocht	_____ er hat mitgebracht
_____ er hat gehört	_____ er hat empfohlen
_____ er ist geschwommen	_____ er ist gestorben
_____ er hat gearbeitet	_____ er hat zerrissen
_____ er hat funktioniert	_____ er ist weggelaufen
_____ er hat getrunken	_____ er hat gesungen
_____ er hat gezeichnet	_____ er hat entschuldigt
_____ er hat fotografiert	_____ er hat gehabt (hatte)
_____ er hat bestellt	_____ er ist gewesen (war)
_____ er hat geduscht	_____ er hat missverstanden
_____ er ist gewachsen	

b) Sehen Sie sich die Endungen des Partizips II an. Welche Endungen gibt es?
Sehen Sie sich den Anfang des Partizips II an. Wo gibt es ein *ge-* und wo nicht?
Wenn am Anfang kein *ge-* steht, steht es dann vielleicht woanders?
Sortieren Sie die Perfektformen.

Partizip II mit *ge__t*

_____

_____

Partizip II mit *ge__en*

_____

_____

_____

Partizip II ohne *ge*

_____

_____

Partizip II mit *ge* nach der Vorsilbe

_____

Ergänzen Sie die Regel.

Partizip II: Formen

1. Das Partizip II mit *ge__t* bildet man aus
   ge + Infinitiv minus *en* (= Verbstamm) + *t*:
   _____ + *machen* minus _____ + _____ = _____

Verben, die ihr Partizip II so bilden, nennt man schwache Verben. Diese Bezeich-
nung kommt aus der deutschen Romantik. Die Romantiker dachten, dieses *t* am
Ende wäre wie ein Baum und das Verb müsste sich gegen diesen Baum lehnen,
weil es allein nicht stehen kann. Bei den schwachen Verben bleiben die Vokale
(*a, e, i, o, u – ä, ö, ü*) immer gleich.

2. Das Partizip II mit *ge__en* bildet man aus *ge* + Infinitiv, meist mit
   Vokalwechsel:
   _____ + (*trinken*) _____ = _____

Diese Verben nennt man starke Verben. Die Vokalwechsel haben gewisse Regelmäßigkeiten. (→ Seite 90)

3. Die Mischverben bilden ihr Partizip II mit *t* und haben trotzdem einen
   Vokalwechsel. Zum Glück gibt es nicht viele davon:.
   *bringen – hat gebracht, denken – hat gedacht, brennen – hat gebrannt, rennen – ist
   gerannt*

4. Das Partizip ohne *ge* haben Verben mit der untrennbaren Vorsilbe *ge* (z. B.
   gefallen, gehören), _____, _____, _____, _____, _____,
   _____ und _____ oder Verben mit der Endsilbe -_____.

5. Bei trennbaren Verben steht *ge* nach der _____.

Übung 4 **a)** Sehen Sie sich die folgenden Perfektformen mit *sein* an und stellen Sie die Verben
pantomimisch dar.

er ist aufgewacht	B	☒	er ist gehüpft	B	Z
er ist gefahren	B	Z	er ist eingeschlafen	B	Z
er ist gestorben	B	Z	er ist geflogen	B	Z
er ist gelaufen	B	Z	er ist (groß) geworden	B	Z
er ist gewachsen	B	Z	er ist geritten	B	Z

b) Welche Verben drücken eine Bewegung von einem Ort zu einem anderen Ort aus
(B)? Welche Verben drücken eine Zustandsänderung aus (Z)? Kreuzen Sie an.

> *Ergänzen Sie die Regel.*
> Perfekt mit *sein* benutzt man bei
> a) Verben, die eine _____ von einem Ort zu einem anderen Ort
>   ausdrücken,
> b) Verben, die eine Zustands_____ ausdrücken, und
> c) bei *sein – er ist gewesen, bleiben – er ist geblieben.*

Übung 5 **a)** Welche Wörter fallen Ihnen zum Thema Urlaub ein? Sammeln Sie gemeinsam an der
Tafel.

b) Setzen Sie sich mit einer Partnerin / einem Partner zusammen. Machen Sie die Augen
zu. Nehmen Sie sich etwas Zeit und denken Sie an Ihren Lieblingsurlaubsort. Lassen
Sie die Erinnerung in sich ganz lebendig werden.
Wie war es, als Sie das letzte Mal dort waren?
Wie hat es dort ausgesehen? Was konnten Sie dort riechen, hören, fühlen?

Berichten Sie. Ihre Partnerin / Ihr Partner kann nachfragen, um ein genaues Bild zu
bekommen.

c) Schreiben Sie einen Brief über Ihren Lieblingsurlaub. Was haben Sie alles gemacht?
Benutzen Sie das Perfekt, wo immer es geht.

Keine Zeit 2

Es war einmal … : Präteritum

Übung 1 **a)** Lesen Sie den Märchentext.

Aschenputtel

Es war einmal eine sehr schöne und freundliche Frau, die mit ihrem Mann und einer wunderschönen kleinen Tochter zufrieden in einem fernen Land lebte. Die Familie war sehr glücklich – bis die schöne, freundliche Frau plötzlich krank wurde und starb. Der Mann und seine Tochter waren sehr traurig, doch nach einiger Zeit sah der Mann sich nach einer neuen Frau um. Er fand eine, die auch zwei Töchter hatte und heiratete sie. Die neue Frau war anfangs zu allen freundlich, doch schon bald zeigte es sich, dass sie ihre eigenen faulen und hässlichen Töchter immer bevorzugte, die kleine Stieftochter aber sehr schlecht behandelte. Bald hieß die Stieftochter nur noch *Aschenputtel,* denn sie musste immer in der Küche arbeiten und in der noch warmen Asche des Herdes schlafen. Die Stiefmutter und ihre Töchter machten sich ein schönes Leben, doch Aschenputtel musste fegen, kochen, putzen und nähen.

Eines Tages lud der König des Landes alle jungen Mädchen zu einem großen Ball ein, denn er suchte eine Frau für seinen Sohn, den Prinzen. Aufgeregt überlegten die Stiefmutter und ihre Töchter, was sie anziehen, wie sie sich schmücken sollten, damit der Prinz Gefallen an einer der Töchter finden könnte. Schüchtern meldete auch Aschenputtel den Wunsch an mitzugehen, denn sie wollte gerne den Palast sehen und sie war noch nie auf einem Ball gewesen.

Grausam lachten die böse Stiefmutter und ihre Töchter über diesen Wunsch: „Schau dich doch einmal an", sagten sie, „du bist so hässlich und schmutzig von der Asche und du hast ja auch nichts anzuziehen außer deinen Lumpen. Wir blamieren uns doch nicht mit einer wie dir!"

Am Tag des Balles verließen die Stiefmutter und ihre Töchter herausgeputzt und voller Hoffnung das Haus. Aschenputtel blieb traurig und weinend in der Küche zurück …

b) Unterstreichen Sie im Text die Verbformen, die in der Vergangenheit stehen und suchen Sie dann gemeinsam die passenden Infinitive und Perfektformen dazu. Tragen Sie sie in die Tabelle ein.

starke Verben			schwache Verben		
Infinitiv	Perfekt	Präteritum	Infinitiv	Perfekt	Präteritum
sterben	ist gestorben	starb	leben	hat gelebt	lebte

Ergänzen Sie die Regel.

Schwache Verben bilden das Präteritum aus dem Partizip II minus *ge* (falls vorhanden) + Personalendung (*gekauft – kaufte*).

Starke Verben bilden das Präteritum durch _____ wechsel. Starke Verben haben in der 1. + 3. Person Singular keine Endung (*er ging*).

Mischverben bilden das Präteritum wie die schwachen Verben, aber mit Vokalwechsel (*dachte*).

Also:

	kaufen	gehen	denken
ich	_____	_____	_____
du	_____	_____	_____
er	_____	_____	_____
wir	_____	_____	_____
ihr	_____	_____	_____
sie	_____	_____	_____ .

Übung 2 Jetzt möchten wir Ihnen ein weiteres Mitglied der Zeitfamilie vorstellen. Lesen Sie den Text.

Oma Eswaremeralda **Präteritum**
Sie ist die Schriftstellerin in der Familie und verzaubert alle: Wer ihre Geschichten liest oder ihnen zuhört, vergisst, wo er ist, und geht mit seinen Gedanken in die Vergangenheit zurück, dorthin nämlich, wo Eswaremeraldas Geschichten spielen. Es folgen Auszüge aus ihrer vor kurzem veröffentlichten Biographie: Schon als Kind liebte Eswaremeralda die Literatur. Mit sechs Jahren schrieb sie ihre ersten Gedichte, mit fünfzehn veröffentlichte sie ihren ersten Roman. Besonders bekannt wurde sie durch ihre Geschichtensammlung *Jetzt standen sie vor dem offenen Berg.*

Ergänzen Sie die Regel.
Man benutzt das Präteritum vor allem, wenn man _____, und zwar: Literatur, Zeitungsreportagen, auch Polizeiberichte usw. Wenn man eine literarische Form mündlich benutzt, z. B. Märchen erzählt, verwendet man meistens auch das Präteritum. In Norddeutschland nimmt man beim Sprechen häufiger das Präteritum als in Süddeutschland.

Das Präteritum wirkt wie eine Zeitmaschine: Wir vergessen das reale Jetzt und gehen mit unseren Gedanken in die Vergangenheit.

Deshalb kann man im Präteritum auch aktualisieren, d. h. Formen benutzen wie *jetzt:*
„... Rotkäppchen war endlich bei seiner Großmutter angekommen. Sie öffnete die Tür und ging in die Stube. **Jetzt** stand sie vor dem Bett der Großmutter, doch in dem Bett lag heute der Wolf."

Übung 3 **a)** Suchen Sie Zeitungsberichte und unterstreichen Sie die Präteritumformen. Machen Sie eine Tabelle wie in Übung 1b und tragen Sie auch Infinitiv und Perfekt der Verben ein.

b) Können Sie bei den starken Verben Regelmäßigkeiten beim Vokalwechsel erkennen? (z. B. *ei – i(e) – i(e)* bei *schreiben, schrieb, geschrieben* oder *reiten, ritt, geritten*)

Übung 4   **a)**   Unser Sänger hat Übung 3b schon gemacht und trägt Ihnen seine Ergebnisse vor. Lesen Sie seinen Liedtext. Vergleichen Sie Ihre Ergebnisse mit seinen.

Das Verb-Gedicht

Starke Verben sind nicht schwer –
in Gruppen kommen sie daher;
und zeigen die sich im Gedicht –
vergessen wir die Formen nicht.

――――――――

fliegen, ist geflogen, flog;
ziehen, hat gezogen, zog;
fließen, ist geflossen, floss;
gießen, hat gegossen, goss.

Starke Verben sind nicht schwer –
in Gruppen kommen sie daher.

――――――――

singen, hat gesungen, sang;
finden, hat gefunden, fand;
binden, hat gebunden, band;
trinken, hat getrunken, trank.

Starke Verben sind nicht schwer –
in Gruppen kommen sie daher.

――――――――

schreiben, hat geschrieben, schrieb;
bleiben, ist geblieben, blieb;
reiben, hat gerieben, rieb;
schweigen, hat geschwiegen, schwieg.

Starke Verben sind nicht schwer –
in Gruppen kommen sie daher.

――――――――

schneiden, hat geschnitten, schnitt;
reiten, ist geritten, ritt;
leiden, hat gelitten, litt;
streiten, hat gestritten, stritt.

Starke Verben sind nicht schwer –
in Gruppen kommen sie daher.

――――――――

nehmen, hat genommen, nahm;
kommen, ist gekommen, kam;
sprechen, hat gesprochen, sprach;
brechen, hat gebrochen, brach.

Starke Verben sind nicht schwer –
in Gruppen kommen sie daher.

――――――――

schwimmen, ist geschwommen,
schwamm;
spinnen, hat gesponnen, spann;
gewinnen, hat gewonnen, gewann;
beginnen, hat begonnen, begann.

Starke Verben sind nicht schwer –
in Gruppen kommen sie daher.

――――――――

essen, hat gegessen, aß;
fressen, hat gefressen, fraß;
messen, hat gemessen, maß;
lesen, hat gelesen, las.

Starke Verben sind nicht schwer –
in Gruppen kommen sie daher.

――――――――

fahren, ist gefahren, fuhr;
graben, hat gegraben, grub;
tragen, hat getragen, trug;
schlagen, hat geschlagen, schlug.

Starke Verben sind nicht schwer –
in Gruppen kommen sie daher.

――――――――

fallen, ist gefallen, fiel;
laufen, ist gelaufen, lief;
stoßen, hat gestoßen, stieß;
rufen, hat gerufen, rief.

Starke Verben sind nicht schwer –
in Gruppen kommen sie daher.

――――――――

lügen, hat gelogen, log;
heben, hat gehoben, hob;
saufen, hat gesoffen, soff;
flechten, hat geflochten, flocht.

Starke Verben sind nicht schwer –
in Gruppen kommen sie daher.
Und lernen wir sie im Gedicht,
vergessen wir die Formen nicht.

b)   Markieren Sie die Vokale in den Verben, die sich in den Zeitformen ändern. Schreiben Sie diese jeweils über die Strophe.

Übung 5   Schreiben Sie ein Märchen aus Ihrer Heimat in deutscher Sprache auf und benutzen Sie dabei das Präteritum. Lesen Sie sich die Märchen im Kurs gegenseitig vor.

Keine Zeit 3

Und was war vorher? – Plusquamperfekt

Übung 1 **a)** Lesen Sie den Text.

Die Party

Sie öffnet die Augen und schaut auf den Wecker. „Mein Gott, schon 12 Uhr mittags! So spät! Aber schließlich ist es gestern auch spät geworden … " Sie springt aus dem Bett und geht in die Küche. Ein Chaos erwartet sie – dreckiges Geschirr, noch von Zigarettenrauch und Bierdunst erfüllte Luft, überall leere Flaschen und Zigarettenkippen, Essensreste liegen auf dem Boden und der Teppich hat einen großen Rotweinfleck. Seufzend macht sie sich an die Arbeit, öffnet zuerst einmal die Fenster und sammelt dann das Geschirr ein. Ihre Gedanken gehen zurück zum gestrigen Abend …

Es war wirklich eine gelungene Party! Gegen 18 Uhr kamen schon die ersten Gäste, denn sie hatten vorher verabredet, dass sie zusammen kochen wollten. Sie brachten verschiedene Salate und Zutaten für eine große Pizza mit. Das gemeinsame Backen machte viel Spaß, und als Sabine Horst mit der Mehltüte durch die Wohnung jagte, mit der Drohung, ihn in einen Schneemann zu verwandeln, erreichte die Stimmung ihren ersten Höhepunkt. Leider brannte die erste Pizza an, weil Udo gerade so gute Musik auflegte und alle tanzen mussten, so dass niemand mehr auf das Essen achtete. Und das Ganze war nur möglich, weil ihre Eltern in Urlaub gefahren waren! Sie hatte alles lange vorher geplant. Natürlich hatte sie mitfahren sollen, aber die Idee einer Party war ihr schon vor längerer Zeit gekommen. Also hatte sie ihren Eltern etwas von einem Schulprojekt erzählt, das auch in den Ferien laufen würde. So hatte sie dableiben können, und ihre Eltern waren für zwei Wochen weggefahren und hatten ihr die Wohnung überlassen. Bei der Organisation der Party hatten ihr Freunde geholfen: Zwei Tage vorher hatten sie Getränke und Süßigkeiten eingekauft und dann alle Leute angerufen. Jeder konnte noch andere Freunde und Bekannte mitbringen, und dadurch lernte sie Jörg kennen … Sie fand ihn sofort sympathisch, als sie ihn hereinkommen sah. Er war zwar unheimlich ungeschickt und ließ beim Kochen alles fallen, aber man konnte sich sehr gut mit ihm unterhalten. Und tanzen konnte er auch gut.

Ob er heute anrufen würde?

Es klingelt. Sie geht zum Telefon und merkt dann, dass es an der Tür läutet. Mit klopfendem Herzen geht sie zur Tür und hört schon wie ihr Vater sagt: „Wo bleibt sie denn? Warum dauert das denn so lange? … "

b) Was geschah vor, während und nach der Party? Suchen Sie passende Sätze aus dem Text und tragen Sie sie in die Tabelle ein.

vor der Party
_____
_____
_____
_____
_____
_____
_____
_____

während der Party
_____
_____
_____
_____
_____
_____

nach der Party
_____
_____
_____
_____
_____
_____

c) Unterstreichen Sie die Verben. Können Sie Zeitformen erkennen? Wann benutzt man die jeweilige Zeitform?

Übung 2 Hier ein weiteres Mitglied der Zeitfamilie. Lesen Sie den Text und unterstreichen Sie die Verben.

Der ebenfalls sehr **perfekt**e Opa Vorhernochwas **Plusquam**

Er liebt seine Frau Eswaremeralda. Gerne wäre er auch Schriftsteller geworden, doch neben seiner begabten Frau blieb ihm wenig Platz für etwas Eigenes. Dafür liebt er Eswaremeraldas Geschichten, kennt sie alle auswendig und weiß genau, wenn sie etwas vergisst oder einen Fehler macht. Dann mischt er sich in Eswaremeraldas Erzählabende ein: „Bevor sie nach Italien fuhren, waren sie aber doch in Spanien gewesen! Und den Piratenschatz fanden sie erst, nachdem sie jahrelang gesucht hatten! Und erst nachdem sie den Kaiser von China besucht hatten, fuhren sie nach Amerika." Opas Gedächtnis ist wirklich fantastisch.

> *Ergänzen Sie die Regel.*
> Das Plusquamperfekt bildet man aus *hatte/war* + _____. Man benutzt es, wenn eine Sache vor der Zeit passiert ist, in der eine Erzählung der Vergangenheit spielt, also _____ dem Präteritum oder Perfekt.

Übung 3 a) Klären Sie die Bedeutung der folgenden Wörter im Kurs. Welche Geschichte erzählen Sie?

- Schmetterlingsweibchen • Eier legen • Blattunterseite • Raupen schlüpfen • pausenlos essen • in einen Kokon einspinnen • aufplatzen • kleiner Schmetterling •

b) Lesen Sie den Text – er ist durcheinander geraten. Stellen Sie die richtige Reihenfolge wieder her. Achten Sie auf die zeitliche Abfolge.

Der kleine Schmetterling
Schön und bunt ist er, der kleine Schmetterling, wie er leicht und elegant von Blüte zu Blüte fliegt. Die Stationen seiner Entwicklung liegen in der Vergangenheit:

Diese Raupen waren später mit beinahe akrobatischen Bewegungen auf den Ästen ihrer Baumwohnung herumgekrochen und hatten pausenlos gegessen. Und schließlich, nach dem Ende der Reifezeit, öffnete sich der Kokon und gab den kleinen Schmetterling frei, der sofort fröhlich davonflog. Bevor sie das aber tun konnten, mussten die Raupen sich noch einen ruhigen, schattigen Platz suchen. Zuerst hatte ein Schmetterlingsweibchen die Eier auf die Blattunterseiten saftiger grüner Blätter abgelegt. Erst als sie sich so richtig satt gegessen hatten, war der Zeitpunkt gekommen, sich noch einmal zu verändern. Die Eier hatten sich dann sehr gut entwickelt, und bald darauf waren kleine grüne Raupen geschlüpft. Er wird weiter fliegen, tanzen, schweben – einen ganzen Sommer lang. Auch eine besonders schöne, jetzt nicht mehr ganz so kleine Raupe hatte sich in ihrem Kokon versteckt, genauso wie es auch die anderen Raupen taten. ‚Nimmersatt‘ war wirklich ein passender Name für so ein kleines Tierchen.

c) Unterstreichen Sie die Konnektoren im Text, die die zeitliche Abfolge verdeutlichen.

d) Schreiben Sie einen Text nach dem Modell des kleinen Schmetterlings. Der Rahmen ist schon fertig.

Benutzen Sie die Stichpunkte für den Mittelteil. Achten Sie auf die zeitliche Abfolge. Benutzen Sie einige der angegebenen Konnektoren.

• zuerst • dann • danach • bald • darauf • später • schließlich • bevor • nachdem • als •

In der Bäckerei
Es ist Samstag früh. Ich stehe in der Bäckerei und rieche all die leckeren Backwaren, die Brote, Kuchen und Brötchen. Ich möchte mir ein Weizenbrot kaufen und dann gemütlich frühstücken. Vor mir steht eine lange Schlange und ich richte mich auf eine längere Wartezeit ein. Meine Gedanken schweifen ab, gehen zurück zur Geschichte meines Weizenbrotes:

• Oktober Saatzeit • im Spätherbst die ersten Keime • grüne Spitzen • zugedeckt und geschützt vom Schnee • Frühling • die Halme wachsen sehr schnell • Frühsommer • gelbe Kornfelder • im Juli Erntezeit • Korn dreschen • Korn mahlen • zum Bäcker bringen • Teig kneten • im Backofen goldbraun backen •

Langsam kehren meine Gedanken wieder zurück zu diesem Samstagmorgen. Ich bin in der Bäckerei und ich bin jetzt dran. „Was darf es sein?", fragt mich die Verkäuferin. „Ein Weizenbrot, bitte.", antworte ich.

Keine Zeit 4

Was wird wohl morgen sein? – Futur

Übung 1   Entscheiden Sie bei den folgenden Sätzen:

a) das passiert in der Zukunft
b) das passiert in der Gegenwart
c) das ist ganz sicher
d) das ist nicht sicher

a + d _____ 1. Morgen wird es wohl regnen, ich nehme mal einen Schirm mit.

_____ 2. Ich werde nach dem Abitur studieren.

_____ 3. Ich werde für dich da sein, was immer auch passiert.

_____ 4. Du hast den Kühlschrank nicht zugemacht? Dann wird die Katze wohl gerade unseren Fisch fressen.

_____ 5. Ich habe ihn mit einem Handtuch über dem Arm gesehen. Er wird wohl auf dem Weg ins Schwimmbad sein.

_____ 6. Morgen wird er wohl wieder schwimmen gehen – das Wetter bleibt warm.

_____ 7. Er wird morgen nicht kommen, er hat zu tun.

_____ 8. Naja, ich werde wohl im Urlaub in die USA fliegen.

_____ 9. Ich werde die Fotos direkt nach der Schule abholen.

_____ 10. Diesmal werde ich bestimmt pünktlich sein.

Übung 2   Hier sind die letzten Mitglieder unserer Zeitfamilie. Lesen Sie den Text und unterstreichen Sie in verschiedenen Farben:

– die Sätze, die Vielleichto sagt;
– die Sätze, die Morgana sagt.

Die Geschwister Vielleichto und Morgana **Futur**o

Vielleichto ist ein Zweifler und nicht immer zuverlässig. Er denkt viel nach, und oft hat er zu einem Problem keine klare Meinung: „Das wird wohl richtig sein, aber das werden wir wohl erst herausfinden müssen", ist einer seiner häufigsten Sätze. „Ich weiß nicht, wo Otto ist, er wird wohl krank sein. Morgen werde ich ihn dann wohl besuchen."
Seine Schwester Morgana dagegen ist immer sehr zuverlässig, auf ein Versprechen von ihr kann man sich verlassen: „Ich werde dir das Buch mitbringen, und ich werde pünktlich sein."

Ergänzen Sie die Regel.

Das Futur bildet man aus _____ + _____ .

Die Futurform benutzt man für 3 verschiedene Redeinhalte:

a) Vermutungen in der _____ (Sehen Sie bei Vielleichto nach.)

b) _____ in der Zukunft (Sehen Sie bei Vielleichto nach.)

c) sichere _____ (Sehen Sie bei Morgana nach.)

Erinnern Sie sich noch an Jetza Immerpräsens? Normalerweise drücken wir

Zukunft mit Präsens aus:

Morgen gehe ich ins Kino, und nächstes Jahr fahre ich nach Italien.

Übung 3   Was möchten Sie gern über Ihre Zukunft wissen? Überlegen Sie sich zehn Fragen.
Arbeiten Sie dann mit einer Partnerin / einem Partner zusammen:
Sie sind eine Wahrsagerin / ein Wahrsager und besitzen eine magische Kugel / einen magischen Bleistift etc. Ihre Nachbarin / Ihr Nachbar hat Zweifel über die Zukunft.
Sie/er fragt z. B.: „Bekomme ich bald eine neue Wohnung?" In Ihrer magischen Kugel können Sie die Antwort genau sehen: „Du wirst bald eine neue Wohnung bekommen."
Beantworten Sie die zehn Fragen und tauschen Sie dann die Rollen.

Übung 4   Schätzen Sie: Wie alt ist der Bundeskanzler?
Er wird wohl _____ Jahre alt sein.
Überlegen Sie in Gruppen weitere Schätzfragen. Befragen Sie sich im Kurs.

Übung 5   Wie wird wohl die Welt im Jahr 2500 aussehen? Entwerfen Sie ein Zukunftsbild.
Schreiben Sie einen kurzen Text und benutzen Sie das Futur.

Übung 6 **Und zum Schluss: Alle Zeiten**
Welche Zeitform ist hier angebracht? Geben Sie zu jeder Situation ein Textbeispiel von zwei bis drei Sätzen und nennen Sie die Zeitform.

1. Ich erzähle von meinem letzten Urlaub.

2. Ich spreche über meinen nächsten Urlaub.

3. Ich verspreche, meinem Freund ganz sicher beim Umzug zu helfen.

4. Ich schreibe einen Roman über meine Kindheit.

5. Ich überlege, warum Peter heute nicht in der Schule ist.

6. Ich erzähle ein Märchen.

7. Der Polizist schreibt einen Unfallbericht.

8. Ich schreibe einen Brief über die vergangene Woche.

9. Ich erkläre einem Kind, wie die Schwerkraft funktioniert.

Zwischen Wahrnehmung und Wirklichkeit 1

Was würden Sie jetzt gerne tun? – Konjunktiv II

Übung 1 **a)** Bilden Sie Sätze zu den Denkblasen wie im Beispiel.

1. Ich würde so gern nach Paris fliegen!
2. Ich würde so gern _____
3. _____
4. _____
5. _____

b) Und was würden Sie heute gerne machen? Bilden Sie weitere Sätze nach demselben Muster.

> *Ergänzen Sie die Regel.*
> Den Konjunktiv II benutzt man, wenn man über etwas spricht, was im Moment
> des Sprechens _____ Realität ist. Man bildet diese Form in der Umgangssprache
> meistens aus *würde* + _____.
> Die Personenendungen von *würde* sind: *-e/-est/-e/-en/-et/-en*, also:
>
> | | | |
> |---|---|---|
> | ich | würd_____ | gehen, fahren, schlafen, … |
> | du | _____ | |
> | er/sie/es | _____ | |
> | wir | _____ | |
> | ihr | _____ | |
> | sie | _____ | |

Übung 2 **a)** Lesen Sie den Text.

Heute ist ein wunderschöner Tag, und ich sitze hier im Keller und muss aufräumen. Am liebsten wäre ich jetzt am Meer. Ich würde den ganzen Tag faul am Strand liegen. Dann könnte ich die Wellen rauschen hören, ich würde das salzige Meerwasser riechen und die Sonne auf meiner Haut spüren. Manchmal ließe ich mir den Rücken eincremen und oft würde ich ganz weit hinausschwimmen. Ich könnte essen, wann ich wollte, und müsste mich nicht nach einer bestimmten Zeit richten. Wenn ich vom Sonnenbaden und Schwimmen genug hätte, würde ich einen langen Strandspaziergang machen. Ich würde den warmen Sand unter den Füßen spüren. Ich würde Muscheln sammeln und auf den Klippen herumklettern. Abends ginge ich dann essen. Ich würde mir frischen Fisch bestellen, und während des Essens könnte ich den Sonnenuntergang genießen. Na sowas, über meinem Tagtraum habe ich jetzt gar nicht bemerkt, dass die Arbeit schon zur Hälfte getan ist!

b) Zeichnen Sie nach dem Lesen, was diese Person im Moment tut und was sie gerne tun würde. Machen Sie in Ihrem Bild deutlich, was Traum und was Realität ist.

c) Unterstreichen Sie alle Formen mit *würde* + Infinitiv. Schreiben Sie alle anderen Konkunktiv II-Formen in die Tabelle und ergänzen Sie Präteritum und Infinitiv.

Konjunktiv II	Präteritum	Infinitiv
wäre	war	sein

Ergänzen Sie die Regel.

Es gibt zwei Möglichkeiten, den Konjunktiv II zu bilden:

1. _____ + _____ ,

2. eine Form, die vom _____ abgeleitet ist.

schwache Verben	starke Verben
spüren	*sein*
ich spürte _____	wäre _____
du _____	_____
er _____	_____
wir _____	_____
ihr _____	_____
sie _____	_____

Schwache Verben sehen im Konjunktiv II und im Präteritum genau gleich aus; nur im Textzusammenhang kann man erkennen, welche Form gemeint ist.

Bei starken Verben, die ihr Präteritum mit *a*, *o* oder *u* bilden, werden diese Vokale zu Umlauten (*ich wäre*). Im Konjunktiv II kommt zu der Präteritumform bei *ich* und *er/sie/es* noch ein *-e* dazu.

Die Umgangssprache benutzt meistens die Form *würde + Infinitiv*.

Ausnahme: Modalverben (*ich könnte, müsste, dürfte, sollte, wollte*) und Hilfsverben (*ich hätte* und _____).

Übung 3 **a)** Formulieren Sie die Sätze höflicher. Benutzen Sie den Konjunktiv II.

1. Mach das Fenster zu! _____

2. Gib mir das Salz! _____

3. Ich will Herrn Meier sprechen. _____

4. Beantworten Sie mir diese Frage! _____

5. Können Sie Ihren Wagen hier nicht wegfahren? _____

6. Beeil dich! _____

7. Sagen Sie mir, wie spät es ist! _____

b) Fordern Sie sich im Kurs gegenseitig höflich dazu auf, etwas zu tun:

Würdest du bitte die Tür aufmachen? ...

c) Man kann mit diesen Formen spielen: Je nach Betonung können die Sätze im Konkunktiv höflich oder ironisch/übertrieben klingen.

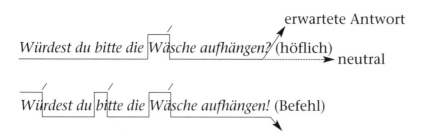

Würdest du bitte die Wäsche aufhängen? (höflich) → erwartete Antwort / neutral

Würdest du bitte die Wäsche aufhängen! (Befehl)

Experimentieren Sie im Kurs mit diesen beiden Intonationsverläufen.

Übung 4   **a)** Beantworten Sie die Fragen.

Was würden Sie machen,
– wenn es klingeln würde und ein Pinguin stünde vor Ihrer Tür?
– wenn in Ihrer Badewanne ein Krokodil schwimmen würde?
– wenn Sie morgens aufwachen würden und feststellen müssten, dass Sie ein großer Käfer wären?
– wenn morgens die Sonne nicht mehr aufgehen würde?
– wenn Sie der letzte Mensch auf der Welt wären?
– wenn Ihr Kühlschrank brennen würde?
– wenn in Ihrem Schrank ein Tiger wäre?

b) Überlegen Sie weitere Fragen in Ihrer Gruppe. Geben Sie sie dann einer anderen Gruppe zum Beantworten.

Übung 5   **a)** Lesen Sie den Text.

Emilia Sauertopf ist eine alte Freundin von Onkel Hugo Habich'gmacht. Doch sie hat viele Dinge noch nicht gemacht, ihre Geschichten klingen anders. Frau Sauertopf beschäftigt sich oft mit den verpassten Gelegenheiten ihres Lebens und weiß immer genau, was sie damals hätte anders machen sollen:

Ich hätte gerne Musik studiert – ich hätte nicht Buchhalterin werden sollen.
Ich hätte gerne nur zwei Kinder gehabt – ich hätte nicht fünf Kinder haben sollen.
Ich hätte gerne einen erfolgreichen Mann geheiratet – ich hätte nicht Fred nehmen sollen.
Ich wäre gerne Schauspielerin geworden – dann hätte ich nicht immer in Pirmasens bleiben müssen.
Ich wäre überhaupt gerne viel gereist – dann hätte ich viel von der Welt sehen können.

Manchmal macht Frau Sauertopf auch ihrem Mann oder ihren Kindern Vorwürfe:

Du hättest mir ruhig etwas beim Putzen helfen können; schließlich bin ich nicht eure Putzfrau.
Gestern hättest du den Mantel schon abholen sollen – hast du es denn wieder vergessen?
Du hättest mir vorher sagen müssen, dass du mit mir ins Konzert gehen möchtest – jetzt ist es zu spät.

b) Unterstreichen Sie in den Sätzen alle Verbklammern, die aus *hätte* oder *wäre* + Partizip II bestehen. Wenn noch ein Modalverb dabeisteht, unterstreichen Sie es ebenfalls. Diskutieren Sie mit Ihren Nachbarn, welche Form und welche Zeit Frau Sauertopf benutzt.

> ***Ergänzen Sie die Regel.***
> Mit _____ oder _____ + Partizip II bildet man die Vergangenheitsform des Konjunktivs II. Wenn noch ein Modalverb dabeisteht, steht es im _____ .

c) Was antwortet die Familie auf die Vorwürfe von Frau Sauertopf? Ergänzen Sie die Sätze.

Wenn du Musik studiert hättest, hättest du einfach andere Schwierigkeiten gehabt.
Wenn du nur zwei Kinder gehabt hättest, _____
Wenn du Fred nicht geheiratet hättest, _____
Wenn du Schauspielerin geworden wärst, _____
Wenn du viel gereist wärst, _____
Wenn ich dir beim Putzen geholfen hätte, _____
Wenn ich deinen Mantel gestern abgeholt hätte, _____
Wenn ich dir früher gesagt hätte, dass ich mit dir ins Konzert gehen will, _____

Übung 6 Bilden Sie Gruppen. Eine oder einer von Ihnen erzählt von einem Tag in der Vergangenheit, an dem viele Dinge schiefgelaufen sind. Schreiben Sie diesen Tag gemeinsam in einen Traumtag um.

Am liebsten hätte ich lange geschlafen und mit Freunden gefrühstückt. Dann …

Zwischen Wahrnehmung und Wirklichkeit 2

Wie wird das gemacht? – Passiv

Übung 1 **a)** Malen Sie die Bilder und Sätze in den bekannten Farben an.

Willi schlägt Fred gerade zu Boden.
Aktiv

Fred wird gerade zu Boden geschlagen.
Passiv

> *Ergänzen Sie die Regel.*
> Aktiv und Passiv sind zwei verschiedene Arten, die Wirklichkeit zu betrachten: Die
> Ausdrucksweise des Reporters ändert sich mit dem Fokus der Kamera. Beim Passiv
> wird nicht gesagt, wer etwas macht. Die handelnde Person ist nicht wichtig. Wich-
> tig ist nur, was passiert.
> Das *werden*-Passiv oder Vorgangspassiv bildet man mit dem Verb *werden* und dem
> _____. Die Verben stehen auf Platz _____ und am _____ des
> Satzes.

b) Was ist das Subjekt? Was ist das Akkusativobjekt? Was passiert mit dem
Akkusativobjekt des Aktivsatzes im Passivsatz?
Malen Sie die Sätze noch einmal mit den bekannten Farben an und zeichnen Sie
einen Pfeil von *Fred* im Aktivsatz zu *Fred* im Passivsatz.

Aktivsatz: Willi schlägt Fred gerade zu Boden.

Passivsatz: Gerade wird Fred zu Boden geschlagen.

> *Ergänzen Sie die Regel.*
> Das Akkusativobjekt aus dem Aktivsatz wird zum _____ im Passivsatz.
> Verben, die ein _____objekt haben, können also Passiv bilden.

Übung 2 **a)** Gehen Sie in kleinen Gruppen auf die Straße und beobachten Sie das Geschehen. Was passiert dort? Schreiben Sie zehn Sätze im Passiv.

1. Eine Tür wird aufgemacht.
2. Ein Auto wird _____.
3. ...

b) Lesen Sie die Sätze im Kurs vor und diskutieren Sie: Sind alle Sätze richtig? Schreiben Sie Sätze, bei denen Sie nicht sicher sind, an die Tafel. Lassen Sie sich von Ihrer Kursleiterin / Ihrem Kursleiter korrigieren.

Übung 3 **a)** Stellen Sie sich vor, Sie sind gerade als neuer Gast auf einer Geburtstagsparty angekommen und beobachten, was dort passiert:

- es wird getanzt
- es wird gelacht
- es wird geflirtet
- es wird gegessen
- es wird dem Geburtstagskind gratuliert (dem Geburtstagskind wird gratuliert)
- ...

Was passiert noch? Schreiben Sie weitere Beispiele.

b) Malen Sie die Sätze in den bekannten Farben an. Welche Farbe hat *es*? Wer ist die handelnde Person?

> ***Ergänzen Sie die Regel.***
> Im „unpersönlichen" Passiv ersetzt _____ das Subjekt. Diese Form gibt
> einen generellen Eindruck wieder. Bei Sätzen mit Dativ_____ kann
> das *es* auch ganz wegfallen. Man denkt es sich dazu.

Übung 4 **a)** Origami heißt die japanische Kunst des Papierfaltens. Hier ist die Anleitung für einen Papierhahn. Nehmen Sie ein quadratisches Stück Papier und falten Sie nach.

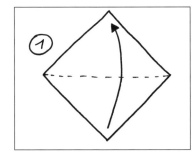 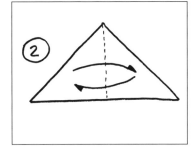 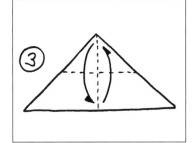

1. Das quadratische Papier wird in der Mitte gefaltet.

2. Jetzt ist das Quadrat in der Mitte gefaltet, wir haben ein Dreieck. Das Dreieck wird in der Mitte geknickt und wieder geöffnet.

3. Jetzt ist das Dreieck in der Mitte geknickt. Das Dreieck wird noch einmal zur anderen Seite hin in der Mitte geknickt und wieder geöffnet.

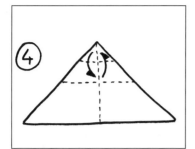

4. Jetzt ist oben noch ein kleines Dreieck. Von der Spitze aus wird das kleine Dreieck oben in der Mitte geknickt und wieder geöffnet.

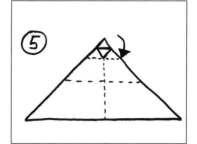

5. Jetzt ist ganz oben noch ein kleineres Dreieck. Die Hälfte des so neu entstandenen, ganz kleinen Dreiecks an der Spitze wird auf einer Seite nach innen gefaltet und nicht geöffnet!

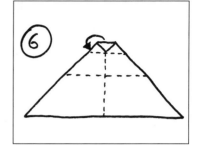

6. Jetzt ist oben die Spitze nach innen gefaltet. Das Dreieck der unteren Papierlage auf der anderen Seite wird auch gefaltet, und zwar nach hinten.

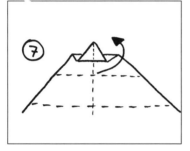

7. Jetzt ist auch die untere Papierlage nach hinten gefaltet, sodass die Spitze des Dreiecks jetzt stumpf ist. Das nach innen gefaltete Dreieck wird wieder etwas nach vorne gefaltet, so dass es etwas übersteht – das gibt den Hahnenschnabel.

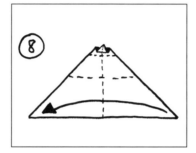

8. Das gefaltete Dreieck wird in der Mitte zugeklappt. Alles wird um 90° gedreht.

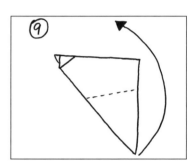

9. Das Dreieck ist zugeklappt und um 90° gedreht. Die Flügel werden leicht schräg nach oben gefaltet.

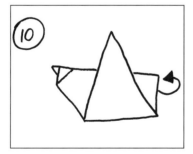

10. Die Flügel sind nach oben gefaltet. Das hinter den Flügeln überstehende Papier wird mit dem Daumen leicht nach innen gedrückt.

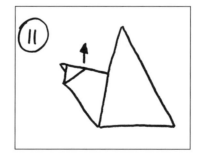

11. Das überstehende Papier ist nach innen gedrückt. Jetzt wird der Hahnenkamm herausgezogen und glatt gestrichen.

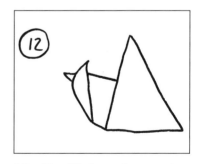

12. Der Hahnenkamm ist herausgezogen und glatt gestrichen – der Hahn ist fertig gefaltet!

b) Unterstreichen Sie die Verben im Text. Wie wird im Text
  – ein Vorgang oder Prozess (was man machen muss) beschrieben?
  – ein Zustand (Ergebnis oder Resultat) beschrieben?

Ergänzen Sie die Regel.

Das *sein*-Passiv oder Zustandspassiv bildet man mit dem Verb *sein* und dem

_____. Man benutzt es, wenn nur das Ergebnis eines Vorganges interes-

siert und nicht der Vorgang selbst.

Übung 5 Verbinden Sie zwei oder drei Personen im Kurs die Augen. Die anderen Kursteilnehmer
erzeugen nacheinander Geräusche im Kurs, indem sie etwas im Raum verändern
(z. B. einen Stuhl auf den Tisch stellen, an die Tafel schreiben, die Tür öffnen …). Die
„blinden" Personen erraten, was passiert:
Ein Stuhl **wird** *auf den Tisch* **gestellt**, *etwas* **wird** *an die Tafel* **geschrieben**, …
Nehmen Sie am Ende die Augenbinden ab und beschreiben Sie die Ergebnisse:
Die Tafel **ist beschrieben**, *die Tür* **ist geöffnet**, …

Übung 6 **a)** Ergänzen Sie die Sätze.

Was ist
  – ein geschriebener Brief? Das ist ein Brief, der schon geschrieben ist.
  – ein gestrickter Pullover? Das ist _____
  – ein gelesenes Buch? _____
  – ein geputztes Zimmer? _____
  – ein repariertes Auto? _____
  – eine gebügelte Bluse? _____

b) Welchen Artikel haben die in a) verwendeten Nomen (*Brief, Pullover, …*)?
Unterstreichen Sie die Endungen am Partizip II (*gestrickt, gelesen, …*). Wie nennt man
diese Endungen?

Ergänzen Sie die Regel.

Man kann das Partizip II wie ein Adjektiv benutzen. Es bekommt dann noch eine

_____endung.

c) Bilden Sie ähnliche Sätze wie in a).

Übung 7 **a)** Lesen Sie den Text.

Willkommen in der Wohngemeinschaft von Rolf, Ute, Claudia und Roman. Die vier verstehen sich glänzend und haben viel Spaß miteinander, es gibt nur ein kleines Problem: die Hausarbeit. Keine(r) hat Lust, sie zu erledigen, doch keine(r) möchte ein anderes Haushaltsmitglied direkt zur Hausarbeit auffordern. Der Versuch, Rolf direkt zum Spülen zu bewegen, ist in der vergangenen Woche erst gründlich schiefgelaufen. Also drücken sich die vier immer sehr indirekt aus: „Hier muss mal wieder gespült werden!", sagen sie und: „Die Fenster könnten auch mal wieder geputzt werden!"

b) Unterstreichen Sie die Verben in den letzten zwei Beispielsätzen in a). Wo steht welches Verb?

> ***Ergänzen Sie die Regel.***
> Bei Passiv mit Modalverben steht das Modalverb auf Platz _____ und wird konjugiert, das Partizip II und das Verb *werden* stehen am _____ des Satzes.

c) Was muss im Haushalt noch alles gemacht werden? Bilden Sie Sätze.

Übung 8 **a)** Lesen Sie den Text.

Oma Eswaremeralda erzählt:

Als ich jung war, wurden die Straßenbahnen noch von Pferden gezogen. Pferdebahn wurde das genannt. Die Milch wurde dem Lebensmittelhändler immer in Fässern geliefert, und dann wurden die Kinder mit einer Kanne zum Händler geschickt, um einen oder zwei Liter frische Milch zu kaufen. Essen aus Dosen kannten wir nicht. Die Erbsen wurden frisch aus der Schote gepellt, Bohnen und andere Gemüse wurden für den Winter eingekocht oder getrocknet. Äpfel und Kartoffeln wurden im Keller aufbewahrt – überwintern nannten wir das – und wurden dann immer in kleinen Portionen nach oben in die Wohnung geholt und gegessen. Gegen Ende des Winters waren die Äpfel oft schon ganz verschrumpelt, also wurden sie zu Apfelmus oder Apfelpfannkuchen verarbeitet. Wenn alle Äpfel verbraucht waren, gab es schon das erste Frühjahrsobst.

b) Unterstreichen Sie in dem Text alle Passiv-Formen mit *wurde(n)* + Partizip II oder *war(en)* + Partizip II. Besprechen Sie mit einer Partnerin / einem Partner, um welche Zeitform es sich jeweils handelt.

Ergänzen Sie die Regel.

Werden-Passiv und *sein*-Passiv benutzen als Vergangenheitsform meistens das

_____. Man bildet es aus _____ oder _____ und

dem Partizip II.

c) Berichten Sie im Kurs: Was wurde in Ihrer Kindheit oder der Kindheit Ihrer Eltern anders gemacht als heute? Was war anders organisiert?

Übung 9   Und zum Schluss: Aktiv oder Passiv?

Lesen Sie die Situationen und entscheiden Sie: Ist es angemessener, die Situationen im Aktiv oder im Passiv zu beschreiben?

1. Sie stehen vor einem Kaufhaus. Es ist kurz vor der Öffnungszeit. Durch die Glastür sehen Sie, wie jemand kommt, um die Tür aufzuschließen. Was sagen Sie eher:
   a) Ein Mann schließt die Tür auf.
   b) Oh, die Tür wird schon aufgeschlossen.

2. Sie gehen mit ihrem Kind in der Stadt spazieren und kommen an einer kleinen Baustelle vorbei. Ihr Kind fragt: „Was machen die Männer denn da?" Sie antworten:
   a) Hier wird eine neue Leitung verlegt.
   b) Die Männer verlegen eine neue Leitung.

3. Sie haben einen Antrag auf Wohngeld gestellt. Nach einiger Zeit rufen Sie bei der zuständigen Stelle an um zu erfahren, was daraus geworden ist. Die Angestellte sagt:
   a) Ich konnte Ihren Antrag leider noch nicht bearbeiten.
   b) Ihr Antrag konnte leider noch nicht bearbeitet werden.

4. Sie sind sehr stolz darauf, einen berühmten Architekten zu kennen, der in Ihrer Stadt eine Wohnanlage in einem ganz neuen Stil geplant hat. Sie gehen immer voller Freude an der Baustelle vorbei, diesmal zusammen mit einem Bekannten. Sie sagen:
   a) Schau mal, hier wird eine neue Wohnanlage gebaut.
   b) Schau mal, hier baut Michael Rehnagel, ein Freund von mir, eine neue Wohnanlage.

5. Ihre Kollegin / Ihr Kollege im Büro fragt, ob die Briefe schon zur Post gebracht wurden. Sie sagen:
   a) Der Bote holt sie gerade ab.
   b) Die werden gerade abgeholt.

6. Ihr Vater ist ein ausgezeichneter Koch, viele Rezepte hat er neu erfunden. Sie haben eins dieser Rezepte übernommen und kochen für eine Freundin. Diese fragt begeistert, woher Sie dieses Rezept haben. Sie antworten:
   a) Das wurde bei uns zu Hause immer gekocht.
   b) Das ist von meinem Vater. Er hat es selbst erfunden!

Ergänzen Sie die Regel.

Das Passiv wird benutzt, wenn man die handelnde _____ nicht erwähnt, weil

– man sie nicht für interessant hält.

– man sie nicht nennen möchte.

– es selbstverständlich ist, wer gemeint ist.

Und noch einmal das Verb 1

Personen im Spiegel: Reflexive Verben

Übung 1   **a)** Malen Sie die Bilder und die Sätze unter den Bildern in den bekannten Farben an.

Ich wasche mich.

Ich wasche mir die Hände.

b) Warum steht in den Sätzen einmal *mich* und einmal *mir*?

Ergänzen Sie die Regel.
Reflexiv bedeutet, dass in einem Satz eine Person sozusagen zweimal auftaucht.

Willi sieht **sich** im Spiegel.

Das Wort *sich* ist ein Reflexivpronomen. Taucht im Satz die Person zweimal auf (*Ich wasche mich*), steht das Reflexivpronomen im

_____. Taucht im Satz die Person zweimal auf und kommt dazu noch eine Sache (*Ich wasche mir die Hände*), steht das Reflexiv-pronomen im _____.

Und noch einmal das Verb

Übung 2 **a)** Ergänzen Sie die Reflexivpronomen aus der Wolke.

Ich wasche <u>mich</u> _____   Ich wasche _____ die Hände.

Du wäschst _____   Du wäschst _____ die Füße.

Er wäscht _____   Sie wäscht _____ das Gesicht.

Wir waschen _____   Wir waschen _____ die Haare.

Ihr wascht _____   Ihr wascht _____ die Ohren.

Sie waschen _____   Sie waschen _____ die Finger.

b) Vergleichen Sie: Welche Reflexivpronomen sind anders als die Personalpronomen? Schauen Sie auf Seite 17 nach.

Übung 3 Was machen Sie im Badezimmer? Bilden Sie Sätze mit Reflexivpronomen. Benutzen Sie Reflexivpronomen im Akkusativ und im Dativ, falls möglich:

Ich kämme mich. Ich kämme mir die Haare.

Übung 4 Nur wenige Verben sind immer reflexiv, z. B. *sich schämen, sich erinnern, sich verlieben, sich freuen, sich verspäten, sich erkälten, sich irren, sich informieren, sich ärgern.* Sie beschreiben Handlungen, die man nur selbst machen kann – man kann z. B. nicht einen anderen Menschen verlieben.

Schreiben Sie mit den angegebenen Verben einen kleinen Krimi. Er könnte vielleicht so anfangen:

Er hatte sich zu früh gefreut. Nichts lief so, wie er es (sich) gedacht hatte. Die Leiche war kalt, der Fall nicht geklärt und erkältet hatte er sich auch noch ...

Und noch einmal das Verb 2

Darauf habe ich schon lange gewartet! –
Verben und Ausdrücke mit Präposition

Übung 1   **a)** Schreiben Sie: Wovon träumt Willi?
Von wem träumt er?

Er träumt von _____

_____

_____

b) Worauf ist Willi böse? Auf wen ist er böse?

Er ist böse auf _____

_____

_____

c) Wovor hat Willi Angst? Vor wem hat er Angst?

Er hat Angst vor _____

_____

_____

d) Sehen Sie sich die Beispiele noch einmal an. Welche Präposition steht bei dem Verb, dem Nomen und dem Adjektiv?

träumen _____

Angst haben _____

böse sein _____

Ergänzen Sie die Regel.

Viele Verben, Nomen und Adjektive haben eine feste _____:

Ich träume immer _____ dir.

Wer hat Angst _____ dem bösen Wolf?

Bist du immer noch böse _____ mich?

Man kann die Teile mit Präposition weglassen (*Ich träume. Ich habe Angst. Ich bin böse.*), aber dann geht eine wichtige Information verloren oder es ergibt sich eine andere Bedeutung:

Dieser Mensch ist böse.   = *Das ist ein schlechter Mensch.*

Bei Ausdrücken mit Wechselpräpositionen muss man lernen, ob die Präposition mit Akkusativ oder mit Dativ steht:

*Du weißt doch, ich **denke** immer **an dich**! =* _____

*Natürlich, wenn du wütend bist, **liegt** es immer nur **an mir**! =* _____

Übung 2   **a)** Lesen Sie den Text.

Wenn Menschen verschiedener Nationalität miteinander Kontakt haben, wundern sie sich am Anfang oft über die Gebräuche der anderen. Manche Nationalitäten erkennt man an der Art, wie man sich begrüßt: Man gibt sich die Hand, verbeugt sich vor dem anderen, man küsst sich auf beide Wangen, man legt die Hände zusammen oder man nickt sich zu.

Unterschiede gibt es auch bei Mahlzeiten und Tischsitten. So beschweren sich viele Nicht-Deutsche über das deutsche kalte Abendessen. Gästen Brot, Käse und Wurst zu servieren erscheint ihnen unhöflich – in vielen Ländern wären Gäste darüber beleidigt. Mit der Zeit gewöhnt man sich natürlich an die anderen Sitten und stellt sich darauf ein.

b) Tauschen Sie sich im Kurs aus: Erinnern Sie sich noch an Erlebnisse, die Ihnen am Anfang in Deutschland Schwierigkeiten gemacht oder zu lustigen Missverständnissen geführt haben? Hier einige Ideen:

- Womit haben Sie besondere Erfahrungen gemacht?
- Ist Ihnen an Mimik, Gestik oder an der Stimme, am Ton der Menschen etwas aufgefallen?
- Worüber haben Sie vielleicht besonders gelacht?
- Für welche Verhaltensweisen haben Sie sich besonders interessiert?
- Wonach haben Sie am Anfang oft gefragt?

c) Unterstreichen Sie die Ausdrücke mit Präpositionen in a) und b) und ordnen Sie sie in die Tabelle ein.

Und noch einmal das Verb

mit + Dativ	nach + Dativ	zu + Dativ	für + Akkusativ
Erfahrungen machen			
über	an	vor	auf

Übung 3 Gehen Sie noch einmal zurück zu Übung 1. Wie bildet man Fragen zu den Ausdrücken mit Präpositionen? Unterstreichen Sie die Fragewörter.

Ergänzen Sie die Regel.
Jeder Ausdruck mit Präposition hat sein eigenes Fragewort. Wenn man nach Sachen fragt, wird es aus _____ (r) + der _____ gebildet; fragt man nach Personen, benutzt man die _____ + wen/wem.

Übung 4 **a)** Formulieren Sie in Ihrer Gruppe Fragen zu den Ausdrücken mit Präposition, die Sie in Übung 2 gefunden haben. Entwickeln Sie daraus einen kleinen Fragenkatalog und interviewen Sie Leute aus den anderen Arbeitsgruppen. Schreiben Sie die Antworten auf:

– Woran erinnerst du dich besonders oft?
– Worüber lachst du gern?
– ...

b) Berichten Sie in Ihrer Gruppe von Ihrem Interview:
Ich habe ... danach gefragt, wofür sie/er sich besonders interessiert. Sie/er hat gesagt, dass sie/er sich besonders für ... interessiert.

Übung 5 **a)** Lesen Sie den Text.

Auf Reisen habe ich mich immer dafür interessiert, welche besonderen Traditionen die Menschen eines Landes haben. Manchmal ist es nicht so leicht, sich darauf einzustellen, aber es lohnt sich, es zu versuchen. Nach einigen Tagen oder Wochen hatte ich mich dann immer daran gewöhnt, auf eine bestimmte Weise zu grüßen, bestimmte Tischsitten zu beachten oder mich darauf einzustellen, dass Menschen anders mit der Zeit umgehen. Wichtig ist es, nie darüber beleidigt zu sein, wenn etwas anders gemacht wird, als man selbst es gewöhnt ist. Darüber zu lachen wäre einfach dumm, denke ich.

b Sie finden in dem Text Verben mit Präpositionen, die Sie schon kennen gelernt haben. Hier stehen die Präpositionen mit *da-*. Auf welche anderen Wörter zeigen *da*-Wörter?
Zeichnen Sie Pfeile von den *da*-Wörtern zu den Satzteilen, auf die sie sich beziehen.

Ergänzen Sie die Regel.
Da-Wörter sind Textverweise, eine Art Verkehrsschilder im Text. Sie zeigen im Text vor oder _____. Man benutzt sie, um Wiederholungen von kompletten Ausdrücken oder Satzteilen zu vermeiden. Der Text wird durch sie flüssiger.

Übung 6 Bilden Sie Relativsätze wie im Beispiel:
Ich habe mir ein Auto gekauft. Von dem Auto hatte ich schon lange geträumt.
Ich habe mir ein Auto gekauft, von dem ich schon lange geträumt hatte.
(Lesen Sie dazu auch Seite 76)

1. Willi und Frieda sprechen über ein Thema. Für das Thema interessieren sie sich beide.
2. Heute habe ich ein Buch wieder gefunden. An das Buch hatte ich gestern gedacht.
3. Heute schreibt Willi eine Schularbeit. Vor der Arbeit hat er ein bisschen Angst.
4. Willi trifft seinen Freund. Auf den Freund war er eine Zeit lang böse.
5. Endlich kommt der Bus. Ich habe schon lange auf den Bus gewartet.
6. Kommst du mit in den neuen Film von Mr. Bean? Über den lache ich mich immer kaputt.
7. Heute ist wieder so ein Winterwetter. Ich werde mich nie an dieses Wetter gewöhnen.
8. In jedem neuen Land gibt es verschiedene Traditionen. Man muss sich auf die Traditionen einstellen.
9. Gestern Abend gab es wieder diesen Wurstsalat. Über den Salat hatte ich mich schon einmal beschwert.
10. Ist das nicht der große Mann mit dem Bart? Nach dem Mann hast du mich doch gestern gefragt.

Ergänzen Sie die Regel.
Wenn das Verb im Relativsatz mit Präposition benutzt wird, steht diese Präposition _____ dem Relativpronomen und bestimmt, ob das Relativpronomen im Akkusativ oder im _____ steht.

Und noch einmal das Verb

Es gibt viele Ausdrücke mit Präposition. Unser Tipp:

Bekommen Sie große Augen und große Ohren! Werden Sie Sammler oder Sammlerin!

auf + Akk

aufpassen
Er passt auf
die Kinder
auf.

Machen Sie eine Tabelle oder Karteikarten mit allen Präpositionen, die Sie in unserem Buch kennen gelernt haben und die für Ihren Alltag wichtig sind. Wenn Sie einen Ausdruck mit Präposition hören oder lesen, halten Sie ihn fest! Lassen Sie ihn nicht weglaufen – schreiben Sie ihn in Ihre Tabelle / Ihre Karteikarte und schauen Sie sich ihn so oft an, bis Sie ihn gut kennen. So werden Ihre Deutschkenntnisse immer weiter wachsen.

Und zum Schluss

Willis Familie: Genitiv

Übung 1 **a)** Lesen Sie den Text.

Willis Familie ist ziemlich groß. Seine Mutter hat zwei Brüder und vier Schwestern, sein Vater hat zwei Brüder und zwei Schwestern. Alle Brüder und Schwestern seiner Eltern sind Willis Onkel und Tanten. Die Kinder seiner Onkel und Tanten sind Willis Cousins und Cousinen. Willi hat insgesamt zwölf Cousins und vier Cousinen. Zwei seiner Cousinen sind schon erwachsen. Sie haben die Schule beendet und arbeiten. Eine dieser Cousinen ist schon verheiratet, aber die Kinder der Cousine sind noch ziemlich klein. Auch einer der Cousins ist schon verheiratet, die Kinder des Cousins gehen in die Schule, in die erste Klasse. Seine Mutter, Willis Tante, ist eine Witwe, also eine Frau, deren Mann gestorben ist. Der Cousin, dessen Kinder schon in die Schule gehen, ist von Beruf Kindergärtner, die Cousine, deren Kinder noch klein sind, ist von Beruf Elektrikerin.

b) Was wissen Sie jetzt über Willis Familie? Zeichnen Sie einen Stammbaum.

c) Unterstreichen Sie alle Wörter im Text, die zeigen, dass und wie Willis Familienmitglieder zusammengehören, z. B. *Alle Brüder und Schwestern **seiner Eltern**.*

d) Man kann das auch jeweils anders sagen: Alle Brüder und Schwestern von seinen Eltern. Ersetzen Sie an den unterstrichenen Stellen die Satzteile durch *von* + Dativ.

Übung 2 Ergänzen Sie die Tabelle mit den Wörtern aus der Wolke.

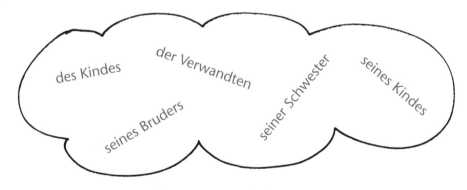

des Kindes   der Verwandten   seiner Schwester   seines Kindes   seines Bruders

bestimmter Artikel	Possessivartikel
des Cousins	_____
der Cousine	_____
_____	_____
_____	seiner Eltern

Was Sie eingetragen haben, ist der Genitiv.

Ergänzen Sie die Regel.

Der Genitiv ist kein Teil des _____ theaters. Er sagt uns, wie zwei Personen oder zwei Dinge zusammengehören. In der Umgangssprache kommt er selten vor.

Übung 3 Zeichnen Sie einen Stammbaum Ihrer Familie. Schreiben Sie einen kleinen Text dazu. Benutzen Sie den Text aus Übung 1a) als Modell.

Übung 4 **a)** Ergänzen Sie die fehlenden Wörter aus dem Text in Übung 1a).

Willis Tante ist eine Witwe, also eine Frau, _____ Mann gestorben ist. Der Cousin, _____ Kinder schon in die Schule gehen, ist von Beruf Kindergärtner, die Cousine, _____ Kinder noch klein sind, ist von Beruf Elektrikerin.

b) Welche Art von Sätzen ist das? Das sind _____ sätze.

Man kann auch so sagen:

Eine Witwe ist eine Frau., Der Mann der Frau ist gestorben.

Ergänzen Sie die Regel.

Die Relativpronomen im Genitiv sehen aus wie die bestimmten _____ im Genitiv + *(s)en.*

Relativpronomen im Genitiv
der Cousin, _____ Kinder ...
die Cousine, _____ Kinder ...
das Kind, _____ Vater ...
die Kinder, _____ Eltern ...

Übung 5 **a)** Ziehen Sie die Sätze zu Relativsätzen zusammen:
Ich möchte gern in einem schönen Land leben, dessen Menschen ...

Mein Traumland
Ich möchte gern in einem schönen Land leben. Die Menschen des Landes sollen fröhlich sein. Das Land soll viele Flüsse haben. Das Wasser der Flüsse müsste kühl und klar sein. Ich möchte auch viele Berge haben. Auf den Gipfeln der Berge würde immer Schnee liegen. Für das Land wünsche ich mir einen Meeresstrand. Der Sand des Strandes sollte fein und weiß sein. In meinem Land möchte ich eine schöne Villa haben. Der Garten der Villa wäre voll von schönen Blumen.

Tschüs!